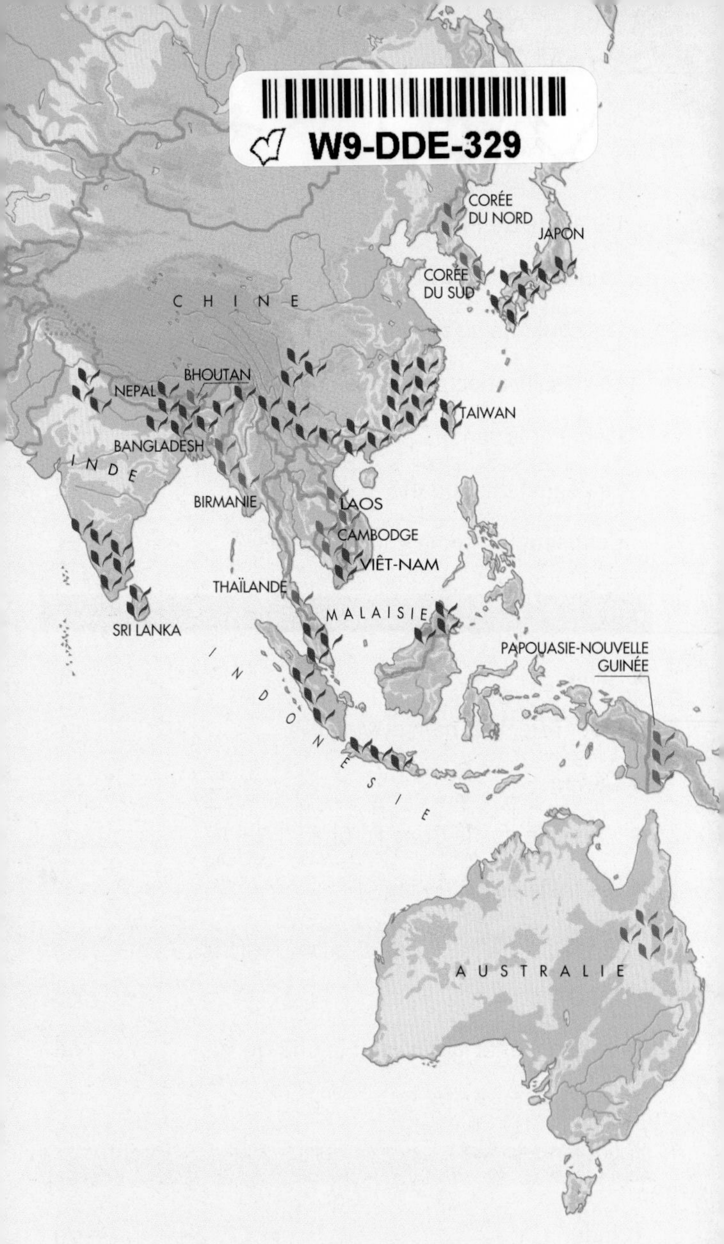
CORÉE
DU NORD
JAPON
CORÉE
DU SUD
C H I N E
BHOUTAN
NEPAL
TAIWAN
BANGLADESH
I N D E
BIRMANIE
LAOS
CAMBODGE
VIÊT-NAM
THAÏLANDE
MALAISIE
SRI LANKA
PAPOUASIE-NOUVELLE
GUINÉE
I N D O N É S I E
A U S T R A L I E

Sommaire

SOMMAIRE

LE THÉ ET SES LÉGENDES

Tout commence en 2737 avant notre ère, en Chine. Selon la légende, alors que l'empereur Shen Nong faisait bouillir de l'eau à l'abri d'un arbre pour se désaltérer, une légère brise agita les branches et en détacha quelques feuilles. Elle se mêlèrent à l'eau et lui donnèrent une couleur et un parfum délicat. L'empereur y goûta et s'en délecta. L'arbre était un théier sauvage : le thé était né.

En Inde, une autre légende raconte que le prince Dharma fut touché par la grâce et décida de quitter son pays pour aller prêcher en Chine les préceptes du Bouddha. Pour se rendre plus digne d'une telle mission, il fit vœu de ne pas dormir pendant les neuf années de son périple. Vers la fin de la troisième année pourtant, il fut pris de somnolence et allait succomber au sommeil lorsque, cueillant par hasard quelques feuilles d'un théier sauvage, il les mordit machinalement. Les vertus tonifiantes du thé firent aussitôt leur effet : Dharma se ragaillardit et puisa dans ces feuilles la force de rester éveillé pendant les six dernières années de son apostolat.

Au Japon, l'histoire serait un peu différente : au bout des trois années, Bodhi-Dharma, épuisé, finit par s'endormir pendant ses dévotions. A son réveil, furieux de sa faiblesse et accablé par sa faute, il se coupa les paupières et les jeta à terre. Quelques années plus tard, repassant au même endroit, il constata qu'elles avaient donné naissance à un arbuste qu'il n'avait jamais vu auparavant. Il en goûta les feuilles et s'aperçut qu'elles avaient la propriété de tenir éveillé. Il en parla autour de lui et on prit l'habitude de cultiver le thé aux endroits où il était passé.

Au-delà des légendes, il semble que les arbustes soient originaires de Chine, probablement de la région située aux confins du Nord Viêt-nam et du Yunnan, et que l'usage de cette boisson se soit d'abord développé chez les Chinois.

Les vertus tonifiantes et énergétiques du thé ayant très vite été remarquées, celui-ci fut d'abord employé comme médicament, à usage externe, sous la forme d'une pâte pour combattre les rhumatismes, ou à usage interne, comme soupe purificatrice. Les premières recettes à base de thé se rapprochent d'ailleurs de ce type de préparation : les feuilles amollies à la vapeur étaient écrasées dans un mortier et compressées sous la forme d'une galette que l'on mettait à bouillir avec du riz, du lait, des épices et parfois même des oignons !

Tradition et symbolique

Sous la dynastie chinoise des Tang (618-907), le thé évolue vers un usage plus populaire, dépassant le cadre de la pharmacopée, pour devenir un élément raffiné du quotidien.

Les maisons de thé font leur apparition et pour la première fois le thé est source d'inspiration artistique : peintres, potiers et poètes créent autour de lui un univers sophistiqué, chargé de symbolique. L'un d'entre eux, Lu Yu (723-804) rédige le premier traité sur le thé, *Cha Jing* ou *Classique du Thé,* ouvrage poétique dans lequel il décrit la nature de la plante et codifie le mode de préparation et de dégustation de la boisson. « *On trouve,* écrit-il, *dans le service du thé le même ordre et la même harmonie que ceux qui règnent en toute chose.* »

Le thé existe alors sous la forme de briques compressées, que l'on fait rôtir avant de les réduire en poudre et de les mêler à l'eau bouillante. Certains ingrédients y sont ajoutés : sel, épices, beurre rance... C'est toujours ainsi que le thé est consommé au Tibet.

Sous la dynastie des Song (960-1279), naît une deuxième école, qui annonce, par la poésie de ses cérémonies et l'importance accordée au respect des règles de préparation, celle du Cha No Yu japonais. Les thés consommés sont de plus en plus raffinés et la céramique prend une place déterminante dans l'univers qui entoure le thé. Les feuilles sont pulvérisées à l'aide d'une meule pour obtenir une poudre très fine, à laquelle de l'eau frémissante est ajoutée. Le mélange est ensuite battu en mousse, à l'aide d'un fouet en bambou. En marge de ce rite, réservé à la cour, se développe une consommation plus large, touchant d'autres milieux sociaux. Les premiers thés en vrac font leur apparition : ils sont plus faciles à produire en grandes quantités et peuvent ainsi satisfaire une demande populaire croissante.

Sous les Ming (1368-1644), un décret impérial stoppe la fabrication de thé compressé et le thé commence à être consommé sous sa forme actuelle : en infusion dans un récipient. Cette nouvelle façon de boire le thé a une influence sur les objets et accessoires utilisés pour sa préparation : c'est le début des services en terre et en porcelaine. La bouilloire remplace les bouteilles à thé de l'époque Tang et la théière devient l'ustensile idéal pour le faire infuser. Le thé se démocratise, gagne peu à peu l'ensemble des classes sociales et va trouver un nouvel essor économique avec l'exportation.

Au Japon, le thé fait son apparition dès le VIIe siècle. A plusieurs reprises, des moines bouddhistes ramènent de Chine des graines de théier et tentent d'en établir la culture dans le pays. Il faut attendre le XVe siècle pour que le thé se diffuse dans l'archipel. Sen No Rikyû (1522-1591) est le premier grand maître de thé : avec lui, le thé devient religion, art et philosophie. Ceux-ci s'expriment à travers une cérémonie complexe et extrêmement codifiée dont l'idéal est de révéler la grandeur que comportent les plus petits actes de la vie quotidienne. « *Le thé n'est rien d'autre que ceci,* écrit-il, *faire chauffer l'eau, préparer le thé et le boire convenablement.* »

L'Europe découvre le thé

Dès le Xe, le thé constitue pour la Chine un produit d'exportation de première importance : d'abord vers les pays asiatiques puis, à partir du XVIIe siècle, vers l'Europe.

En 1606, les premières caisses de thé arrivent à Amsterdam, en Hollande : c'est la première cargaison de thé connue et enregistrée dans un port occidental. La Compagnie des Indes Orientales, compagnie hollandaise, entretient à cette époque des relations régulières avec l'Extrême-Orient et conservera, malgré la fondation en 1615 de l'East India Company, son concurrent britannique, le monopole sur le négoce du thé jusqu'à la fin des années 1660. En 1657, Thomas Garraway, tenancier d'un « coffee-house » à Londres, introduit le thé dans sa boutique et fait paraître dans le journal de l'époque cette publicité : « *Cette excellente boisson, approuvée par tous les médecins chinois, que les Chinois appellent*

'Tcha' d'autres nations 'Tay' alias 'Tee' est en vente à la Sultaness mead *près du Royal Exchange à Londres. »*

Si sa propagation rencontre au début une forte opposition - on disait que son usage faisait perdre aux hommes leur stature et leur amabilité, aux femmes leur beauté - le thé devient cependant très vite l'objet d'un commerce important. Réservé d'abord aux princes, il est ensuite très apprécié de tous les beaux-esprits qui fréquentent les « coffee-houses » bientôt baptisés « maisons de thé ».

Cromwell, peu avant de mourir, impose sur le thé une taxe substantielle, et le produit fait rapidement l'objet d'une contrebande active. Au XVIIIe siècle, son prix redevient plus abordable et le thé est sacré boisson nationale.

En France l'introduction du thé soulève de nombreuses controverses, dès 1650, dans les milieux médicaux. Il acquiert pourtant un degré de popularité très haut. Dans une de ses lettres, Madame de Sévigné mentionne que Madame de la Sablière est la première à mettre du thé dans son lait. Racine est un fidèle adepte du thé, de même que le Cardinal Mazarin qui en prend pour soigner sa goutte.

LE THÉ À LA CONQUÊTE DU MONDE

Les émigrants anglais et hollandais emportent avec eux le thé vers le nouveau monde, où il va jouer un rôle déterminant dans l'histoire des Etats-Unis. Ce produit est soumis à de lourdes taxes et, en 1773, les colons de Boston décident d'en boycotter les importations. Le 16 décembre, ils jettent à la mer la cargaison d'un bateau ancré dans le port : c'est la « Boston tea party » qui entraîne des représailles de la part des autorités anglaises contre les habitants du Massachusetts, déclenchant ainsi les mécanismes qui mèneront à la Guerre d'Indépendance.

Le thé est aussi à l'origine de luttes beaucoup plus pacifiques : celles des « Tea clippers », voiliers

légers utilisés pour le transport du thé. Au XIXe siècle, l'accroissement énorme de la consommation avive la concurrence entre les armateurs : de véritables courses de vitesses ont lieu sur les grandes routes maritimes de l'Orient.

Les Chinois, alors seuls producteurs, imposent leurs règles : prix prohibitifs, accès limité au port de Canton, refus d'échanger le thé contre les textiles anglais. Pour contrer cette pression commerciale, les Anglais décident d'introduire de façon illicite l'opium en Chine, afin de créer une dépendance - et donc une monnaie d'échange - chez leur partenaire commercial. C'est le début de la Guerre de l'opium qui s'achèvera par l'annexion de Hong Kong par les Anglais en 1842.

Au XIXe, la Chine ne suffit plus à satisfaire une consommation occidentale toujours croissante et les Anglais commencent vers 1830 à développer la culture du thé dans d'autres pays. Des plantations sont créées en Inde en 1834 et le thé est introduit à Ceylan en 1857.

Les plantations cingalaises n'ont au départ qu'une valeur expérimentale, mais, en 1869, après la destruction totale des plantations de café ravagées par un parasite, le thé devient la principale richesse de l'île.

Le thé est également implanté dans d'autres pays d'Asie qui deviennent d'importants producteurs ; dans des pays d'Afrique Noire anglophone ; et, plus récemment, sur l'île de la Réunion et en Argentine.

Aujourd'hui, le thé est la première boisson mondiale après l'eau, il s'en consomme environ 15 000 tasses à la seconde.

Les principaux pays producteurs de thé sont (en pourcentage de la production mondiale) :

- L'Inde : 31%
- La Chine : 25%
- Le Sri Lanka : 10%
- Le Kenya : 8%
- L'Indonésie : 5%
- La Turquie : 4 %
- Le Japon : 3%
- L'Iran : 2%
- Le Bangladesh : 2%
- Le Viêt-nam : 2%
- L'Argentine : 1%
- Le Malawi : 1%

Pour une production mondiale qui s'élève à 2 800 000 tonnes en 1999.

Pour en savoir plus, nous vous conseillons l'ouvrage de Paul Butel, Histoire du Thé, *Desjonquières, Paris, 1989. Réf. LO17.*

LA PLANTATION DE THÉ

La plantation de thé se présente comme une immense forêt composée de petits arbres dépassant rarement 1,50 mètre de haut. Leurs troncs, épais et tortueux, sont le signe d'un âge plus avancé que ne le suggère leur taille.

A l'état sauvage, les théiers peuvent atteindre 15 à 20 mètres de haut. Lorsqu'ils sont cultivés, ils sont maintenus à 1,20 mètre environ par des coupes régulières, pour former ce qu'on appelle une « table de cueillette », qui facilite la récolte manuelle et favorise la croissance des bourgeons.

Taillés, façonnés par la main de l'homme pendant une cinquantaine d'années, les théiers deviennent de véritables arbres-nains et forment des plantations singulières, à la fois immensités vertes et forêts miniatures.

LE THÉIER

Le théier appartient à la famille des camélias. Le *camelia sinensis* ou *thea sinensis* comporte deux variétés principales : celle de Chine, dite *sinensis,* et dont la feuille est petite et vert olive ; et celle d'Assam, dite *assamica,* à la pousse large, claire et charnue. Outre ces variétés, sont apparus, avec les méthodes d'hybridation, greffes, bouturages, etc. de nombreux croisements, appelés *jats* ou *clonal.*

Le théier domestique est un arbuste à feuilles persistantes, dont la face supérieure est brillante et la face intérieure mate et plus claire. Les jeunes feuilles et les bourgeons sont recouverts d'un léger duvet argenté, ce qui a valu au bourgeon d'être baptisé « Pekoë », d'après le mot chinois « Pak-ho » qui signifie « cheveu fin » ou « duvet ».

L'ÉCOLOGIE

Le théier pousse dans des régions au climat chaud et humide, avec des pluies régulières, de préférence réparties sur toute l'année. Il croît entre le 42e degré de latitude dans l'hémisphère nord et le 31e degré au Sud. Les principaux pays de culture sont :

- en Asie : le Bangladesh, la Chine, l'Inde, l'Indonésie, le Japon, la Malaisie, le Népal, le Sri Lanka, Taiwan et le Viêt-nam ;
- en Afrique : le Cameroun, l'Ile Maurice, le Kenya, le Rwanda et le Zimbabwe ;
- en Amérique : l'Argentine et le Brésil ;
- autour des mers Noire et Caspienne : la Géorgie, l'Iran et la Turquie.

La température moyenne optimale est de 18°C à 20°C et doit présenter de faibles variations journalières.

L'influence du climat agit à la fois sur le volume et la qualité de la récolte. Un climat trop humide donne une qualité inférieure, alors qu'une saison sèche entraîne souvent des récoltes de qualité supérieure. L'altitude favorise aussi la qualité mais au détriment du rendement. En région tropicale, le théier peut être cultivé à une altitude allant du niveau de la mer jusqu'à 2500 mètres.

La lumière est importante : elle est nécessaire à la formation des huiles essentielles, qui donnent à l'infusion son arôme. La lumière doit être de préférence diffuse : c'est pourquoi on trouvera presque toujours dans une plantation de grands arbres, implantés régulièrement, qui, tout en contribuant à équilibrer l'écologie du sol, tamisent les rayons du soleil.

Le sol doit être perméable, meuble et profond car les racines du théier s'enfoncent jusqu'à 6 mètres. La couche arable doit être d'au moins 1,50 mètre. Le meilleur sol est jeune et volcanique, très perméable et riche en humus, ni basique, ni trop argileux. La culture du thé se fait toujours sur un sol en pente, drainé naturellement, car le théier, contrairement au riz, ne supporte pas l'eau stagnante. Cette contrainte est aussi un atout : très résistant, le théier peut être cultivé dans des conditions extrêmes de déclivité et s'adapte parfaitement aux reliefs montagneux les plus raides.

La culture

La culture du théier se faisait autrefois à partir des graines que l'on replantait. Aujourd'hui, la reproduction des théiers se fait essentiellement par bouturage de plants sélectionnés.

Les boutures sont prélevées sur des plants choisis, puis transportées dans des pépinières où elles restent de 12 à 18 mois. Lorsqu'elles ont atteint l'état de jeune plant, on les repique dans la plantation principale à des intervalles tels que les buissons couvrent, après développement, toute la surface. Il faut laisser le plant grandir jusqu'à l'âge de 4 ans, en procédant à des tailles de formation, qui le maintiennent à 1,20 mètre de haut, *les tables de cueillettes,* et donnent une bonne charpente au théier, avant

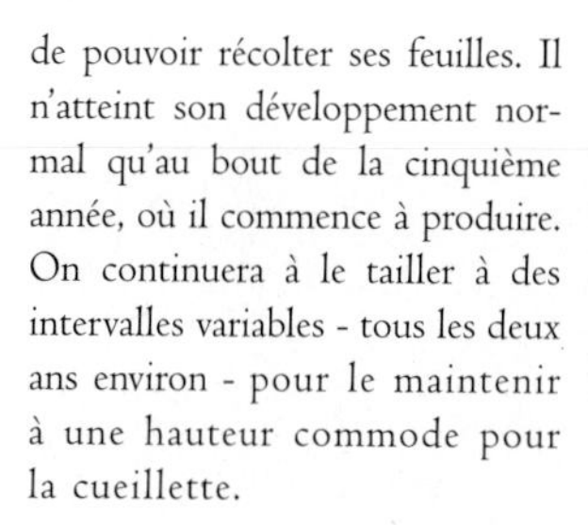

de pouvoir récolter ses feuilles. Il n'atteint son développement normal qu'au bout de la cinquième année, où il commence à produire. On continuera à le tailler à des intervalles variables - tous les deux ans environ - pour le maintenir à une hauteur commode pour la cueillette.

Un théier d'exploitation ne vit généralement pas plus de 40 à 50 ans. Néanmoins certaines variétés peuvent vivre jusqu'à 100 ans.

Au bout de la cinquième année de croissance, on commence à procéder à la cueillette du théier. Cette opération, qui est une légère taille répétée des jeunes pousses, se fait en cycles de 7 à 15 jours, en fonction de la croissance, du climat et de la quantité de thé à récolter.

Le théier étant un arbre à feuilles persistantes, la cueillette a lieu toute l'année, sauf dans les plantations d'altitude où elle n'a lieu que de février à novembre.

Epoque des récoltes en Asie :

- Chine : février à novembre.
- Inde du nord : février à novembre.
- Inde du sud : toute l'année.
- Indonésie : toute l'année.
- Japon : 4 fois par an, de mai à octobre.
- Sri Lanka : toute l'année, sauf pour les districts d'altitude.
- Taiwan : printemps (la principale), été, automne.

LA CUEILLETTE

A l'extrémité de chaque tige se forme un petit bourgeon qui devient rapidement une jeune pousse. Cette feuille terminale est encore enroulée sur elle-même et forme le bourgeon.

A la suite du bourgeon se trouvent d'autres feuilles le long de la tige. La qualité de la cueillette est déterminée par le nombre de feuilles que l'on cueille à la suite du bourgeon : plus on en prélèvera, moins la cueillette sera fine.

Il existe trois types de cueillettes :

- la cueillette impériale : le bourgeon + la feuille qui le suit immédiatement,
- la cueillette fine : le bourgeon + les deux feuilles qui suivent. C'est une cueillette d'excellente qualité,
- la cueillette moyenne : le bourgeon + les trois feuilles qui le suivent. Elle donne des thés de moins bonne qualité que les précédents, mais permet au théier de mieux se développer.

Les feuilles ne sont jamais cueillies séparément : on prend toujours la partie de la tige qui relie le bourgeon et les feuilles.

Pour obtenir certaines qualités recherchées, on cueille jusqu'aux 4e et 5e feuilles appelées Souchong, que l'on trouve en général dans les thés fumés chinois.

Au bout d'un certain temps, le théier a des pousses sans bourgeon, c'est la période de repos. Le bourgeon terminal est formé par la feuille « sourde » que l'on enlève. Ensuite les pousses reprennent normalement.

La cueillette est encore faite dans la majorité des cas à la main. La cueillette mécanique est très peu pratiquée ; notons cependant :

- au Japon, à l'aide de ciseaux,
- également au Japon et en Géorgie, à l'aide de tondeuses automatiques qui enjambent les haies et effectuent une cueillette d'une largeur de 1,50 mètre. Cela suppose un terrain plat et une cueillette grossière, sauf au Japon, où existe une mécanisation très poussée mais aussi très coûteuse.
- en Argentine, avec des tracteurs.

Pour approfondir les aspects agronomiques du thé, nous vous invitons à lire Le Théier *de Denis Bonheur, Maisonneuve et Larose, Paris 1989. Réf. L018.*

Thé vert, thé noir, thé blanc, thé sombre ou thé rouge, le thé prend toutes les couleurs et à chaque couleur correspond un type de thé bien particulier. A l'origine de cette diversité, une seule et même plante : le théier, mais dont la feuille, une fois cueillie, a été travaillée de façon différente et a subi de nombreuses transformations. La principale d'entre elles est une fermentation, une réaction se faisant sous l'influence d'enzymes contenues dans la feuille fraîche. En déclenchant et en maîtrisant cette fermentation, le planteur choisit et donne sa couleur au thé.

Voici les secrets de fabrication des différents types de thé.

Les thés verts

Les thés verts sont des thés non fermentés. Leur préparation vise donc à éviter tout début de fermentation. Les feuilles subissent trois opérations : la torréfaction, le roulage et la dessiccation.

la torréfaction

La torréfaction a pour but de tuer dans la feuille les enzymes responsables de la fermentation. Pour cela, on chauffe les feuilles brutalement à une température de l'ordre de 100°C, dans des bassines (méthode chinoise) ou à la vapeur (méthode japonaise), pendant une durée variant de 30 secondes à 5 minutes. Les feuilles deviennent alors souples et facilement pliables pour le roulage.

le roulage

Les feuilles sont ensuite roulées ou pliées à la main pour leur donner une forme de bâtonnet, de boule, de torsade ou même de feuille de thé, c'est par exemple le cas du Long Jing. Cette opération peut être faite à froid ou à chaud, selon la finesse de la cueillette : les jeunes pousses sont facilement roulables à froid car elles contiennent beaucoup d'eau, contrairement aux feuilles plus matures, qui nécessitent un roulage immédiatement après la torréfaction, quand elles sont encore chaudes.

Les couleurs du thé

Thé vert du Japon
Ryokucha Midori - Réf. 301

Thé Noir de l'Inde
Darjeeling Gielle - Réf. 017

Thé semi-fermenté de Taiwan
Dong Ding - Réf. 264

Thé fumé de Chine
Grand Lapsang Souchong - Réf. 240

Thé blanc de Chine
Bai Mu Dan - Réf. 194

Thé sombre de Chine
Pu Er Impérial - Réf. 215

la dessiccation

Les feuilles sont séchées sur des séchoirs à claies, où circule de l'air chaud pendant deux à trois minutes. Elles reposent pendant une demi-heure et l'opération est répétée jusqu'à ce que les feuilles ne contiennent plus que 5 à 6% d'eau.

Les Wu Long ou thés semi-fermentés

Il s'agit de thés dont la fermentation a été interrompue en cours de processus. Pour cette catégorie de thés, on utilise souvent des feuilles plus mûres, qui contiennent alors moins de tanins et de caféine.

Les Wu Long sont une spécialité du Fujian en Chine et de Taiwan. On oppose couramment deux catégories de Wu Long : des thés légèrement fermentés (10%-15% de fermentation), préparés selon une méthode dite chinoise ; et d'autres, dont la fermentation est beaucoup plus importante (60%-70%), travaillés selon une méthode qui se serait développée plus spécifiquement à Taiwan. En fait, la préparation des thés semi-fermentés est un domaine beaucoup moins cloisonné : chaque plantation a ses propres recettes et produit des thés dont le degré de fermentation ne correspond pas forcément à ces deux catégories. Pour classer les Wu Long, ce guide a donc retenu un critère exprimant le degré de fermentation plutôt que la traditionnelle opposition méthode chinoise contre méthode taiwanaise. Quoi qu'il en soit et en dépit des savoir-faire locaux, tout thé semi-fermenté doit subir les opérations suivantes :

le flétrissage

On laisse les feuilles se flétrir au soleil pendant quelques heures, puis on les refroidit à l'ombre. Le processus de fermentation commence.

la sudation

C'est l'étape la plus importante de la préparation des thés semi-fermentés. Dans une pièce maintenue à une température de 22°C à 25°C avec un taux d'humidité d'environ 85%, les feuilles sont brassées constamment sous une pression de plus en plus forte. Cela va permettre aux arômes de s'exprimer et faciliter l'évaporation de l'eau. De la durée de cette opération dépend le degré de fermentation final : dans la méthode dite chinoise, la sudation est stoppée lorsque les feuilles ont subi une fermentation de 10% à 12% et donne des thés légers, aux saveurs végétales ; la méthode dite de Taiwan correspond à une sudation plus longue qui permet d'atteindre une fermentation allant jusqu'à 70% et produit des thés plus sombres et plus fruités.

la torréfaction

Une fois le degré de fermentation souhaité atteint, une torréfaction permet de stopper la réaction enzymatique qui en est responsable. Cette opération est analogue à celle pratiquée sur le thé vert.

le roulage

Comme pour le thé vert, le roulage donne sa forme à la feuille de thé. Souvent de très grande taille, la feuille est juste froissée ou parfois roulée en grosses perles, comme c'est le cas pour le Dong Ding.

LES THÉS BLANCS

Ce sont des thés restés à l'état naturel. Les feuilles ne subissent ici que deux opérations : un flétrissage et une dessiccation. Pour obtenir une déperdition d'eau comparable à celle des autres thés, on laisse les feuilles se flétrir beaucoup plus longtemps : de 52 à 60 heures. Elles sont ensuite immédiatement desséchées dans des bassines pendant une demi-heure environ. C'est un processus qui paraît simple, et pourtant la production des thés blancs est l'une des plus délicates. Le flétrissage à l'air libre est une opération impossible à contrôler en termes d'humidité et de chaleur : tout l'art du planteur consiste à bien anticiper les conditions climatiques et adapter en conséquence le moment de sa récolte. Les thés blancs sont une spécialité chinoise de la région du Fujian.

Les thés noirs

Pour les thés noirs, la fermentation est menée à son terme. La légende raconte qu'au XVIIe siècle, une cargaison de thé vert en provenance de Chine serait arrivée à Londres après un voyage particulièrement long. Au cours de la navigation, les caisses auraient moisi et, de vert, le thé qu'elles contenaient serait devenu noir. Peu connaisseurs, les Anglais l'auraient beaucoup apprécié et en auraient aussitôt recommandé aux Chinois...

le flétrissage

Cette première opération a pour but de donner à la feuille une consistance souple qui permet le roulage ultérieur. La feuille fraîche y perd 50% de son eau. La récolte est épandue de façon régulière sur des claies superposées de 12 à 18 cm d'intervalle, dans une pièce maintenue à une température comprise entre 20° C et 24°C, où l'air est pulsé à l'aide de ventilateurs. Cette opération dure le plus souvent entre 18 et 32 heures.

le roulage

Le roulage du thé noir est différent de celui du thé vert : il a pour objectif, non de façonner la feuille, mais de rompre ses cellules, afin de faciliter les réactions enzymatiques de la fermentation. Légèrement roulées, les feuilles donneront un thé doux ; fortement roulées, elles donneront un thé plus corsé. Le roulage peut être effectué à la main ou mécaniquement.

la fermentation

Les feuilles sont envoyées dans la salle de fermentation. Dans ces salles, l'humidité est de 90% à 95% et la température de 20°C à 22°C. L'aération doit être bonne, sans toutefois qu'il y ait de courants d'air. Les feuilles sont étendues en couches de 4 à 6 cm d'épaisseur. La durée de la fermentation peut varier de 1 à 3 heures, selon la qualité des feuilles, la saison, la région et selon l'intensité de la couleur désirée.

la torréfaction

Pour arrêter la fermentation, le thé doit être porté le plus rapidement possible à une température élevée. La torréfaction a lieu généralement dans de grands séchoirs cylindriques, chauffant les feuilles à une température moyenne de 90°C, pendant 15 à 20 minutes.

le triage

Il faut ensuite procéder au triage des grades. Le thé est immédiatement classé en deux grades :

- les feuilles brisées
- les feuilles entières

Les feuilles brisées sont obtenues soit naturellement, les feuilles entières s'étant brisées pendant les manipulations, soit artificiellement, les feuilles étant coupées à la machine. Les feuilles entières sont classées en fonction de la finesse de la cueillette.

LES THÉS FUMÉS

Les thés fumés sont des thés noirs. Une histoire chinoise situe leur apparition vers 1820 dans la région du Fujian. A cette époque, une plantation avait été réquisitionnée par l'armée chinoise. Le planteur, devant libérer la salle de séchage, se retrouva avec un volume important de feuilles encore humides, qu'il risquait de perdre, s'il ne les séchait rapidement. Il alluma donc un feu avec des racines d'épicéas et plaça les feuilles de thé par-dessus. En quelques instants les feuilles séchèrent mais prirent un goût de fumée très particulier. Quelques jours plus tard un marchand étranger, rendant visite au planteur, découvrit ce lot de thé, dont personne ne savait que faire. Il fut séduit par son parfum et l'emporta avec lui en Europe, où il connut un grand succès.

Aujourd'hui, pour faire un thé fumé, on procède toujours de même : après le roulage, les feuilles sont grillées légèrement sur une plaque de fer chaude, puis disposées sur des claies de bambou, au-dessus d'un feu de racines d'épicéas. La durée de cette opération est fonction du degré de fumage que l'on souhaite obtenir. Les thés fumés demeurent une spécialité du Fujian et comme beaucoup de thés de cette région, ils sont également préparés à Taiwan.

LES THÉS SOMBRES

Ce type de thés, que l'on appelle également Pu Er, est obtenu grâce à un procédé de sudation qui entraîne une fermentation non enzymatique, différente de celle des thés noirs. Avant d'être roulées, les feuilles subissent une torréfaction spécifique, qui tue la plupart des enzymes. Celle-ci se fait dans des bassines en fer, chauffées à 280°C-320°C, dans lesquelles sont placées les feuilles recouvertes de paille. La paille empêche la vapeur d'eau de s'évaporer et permet une cuisson à l'étuvée. Elle est indispensable dans la mesure où les feuilles utilisées sont âgées, donc pauvres en eau. Pendant cette opération, la teneur en caféine des feuilles baisse. Un premier roulage est ensuite effectué, puis les feuilles sont disposées en tas d'environ un mètre de haut, recouverts d'une toile humide qui maintient un degré hygrométrique de 85 %. C'est la sudation. Elle dure environ 24 heures et peut être renouvelée plusieurs fois. L'épaisseur du tas et la durée de la sudation ont des conséquences importantes sur le thé obtenu, dont le parfum sera plus ou moins puissant. Les thés sombres sont des thés que l'on trouve souvent compressés, en brique ou en nid d'oiseau. Ce sont également les seuls thés qui bonifient avec le temps et dont l'âge constitue parfois un argument de poids dans certaines ventes aux enchères.

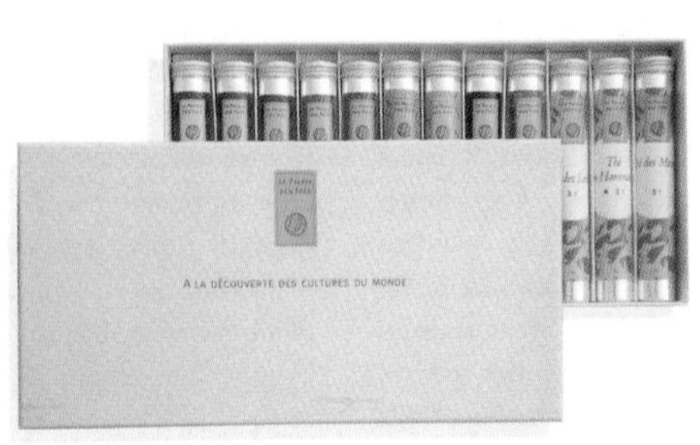

Coffret A la découverte des cultures du monde
Douze tubes de thés originaires du monde entier - Ref. DCM

LES COULEURS DU THÉ CHINOIS

Alors que, dans la plupart des pays, on se limite à une opposition thé vert / thé noir / thé semi-fermenté, il existe pour les thés chinois une classification propre, qui échappe en partie à ces critères internationaux, et qui est fondée sur la couleur du thé à l'infusion. Cette classification est construite autour de six grandes familles de thé : les thés verts, les thés bleu-vert, les thés rouges, les thés noirs, les thés jaunes et les thés blancs. Elle est le reflet de la diversité des thés de Chine et du savoir-faire des Chinois dans le domaine de la fermentation. Chaque couleur résulte effectivement d'un processus de fabrication bien spécifique, au cours duquel la feuille de thé subit une fermentation plus ou moins forte, et donne au thé ses caractéristiques gustatives.

Si les thés verts et blancs correspondent à ceux décrits dans les pages précédentes, il n'en est pas de même pour les autres. Les thés bleu-vert correspondent aux thés semi-fermentés (Wu Long). Les thés rouges sont ceux que nous appelons plus couramment thés noirs. Quant aux thés noirs chinois, qu'il ne faut pas confondre avec les précédents, ils correspondent aux thés qu'en Occident on qualifie de sombres. Les thés jaunes, enfin, sont des thés très rares, proches des thés verts par leur mode de préparation.

Thé blanc - Aiguilles d'Argent - Réf. 193

Thé vert - Ban Qiao Mao Feng - Thé primeur.

Thé bleu-vert - Tie Guan Yin Impérial - Réf. 2165

Thé rouge - Yunnan d'Or - Réf. 219

Thé noir - Pu Er Impérial - Réf. 215

La feuille des thés verts et des thés semi-fermentés est généralement entière et le grade ne se précise pas. Il en est de même pour un certain nombre de thés noirs, chinois notamment, dont le nom est assez évocateur pour permettre d'en appréhender la qualité. Pour les autres thés noirs, le grade est important car il donne deux indications :

- la finesse de la cueillette,
- la taille de la feuille (entière, brisée, broyée).

Feuilles entières :
Saint-James O.P. - Réf. 111

Dans les grades, le mot « orange » n'a aucun rapport avec l'agrume du même nom. Il signifie « royal », du nom de la dynastie néerlandaise *Oranje Nassau*. Quant au mot Pekoe, il vient, rappelons-le, du mot chinois *Pak-ho,* signifiant « duvet » ou « cheveu », et désigne le bourgeon terminal, qui donne une impression de duvet blanc, lorsqu'il n'est pas totalement ouvert.

Feuilles brisées :
Saint-James B.O.P. - Réf. 121

feuilles entières

F.O.P. Flowery Orange Pekoe

Il s'agit de la cueillette la plus fine. Elle est composée du bourgeon terminal et des deux feuilles suivantes. Le thé contient beaucoup de bourgeons, devenus dorés avec la fermentation, que l'on appelle parfois « golden tips ».

Feuilles broyées :
Saint-James Fannings - Réf. 180

O.P. Orange Pekoe

Il s'agit de feuilles jeunes et bien enroulées. La cueillette est fine mais un peu plus tardive que la précédente : ici, le bourgeon s'est déjà transformé en feuille.

P. Pekoe

La feuille est moins fine que dans un O.P. et ne contient pas de bourgeon.

S. Souchong

La feuille est basse, large, plus âgée et très faible en théine, souvent roulée dans le sens de la longueur et surtout utilisée pour les thés fumés.

feuilles brisées

La feuille n'est plus entière et beaucoup plus petite que dans l'O.P. L'infusion donne une liqueur beaucoup plus corsée et plus foncée.

B.O.P. Broken Orange Pekoe
F.B.O.P. Flowery B.O.P.
G.B.O.P. Golden B.O.P.
T.G.B.O.P. Tippy Golden B.O.P.

feuilles broyées

F. Fannings

Morceaux plats plus petits que le broken. L'infusion est très corsée et très colorée.

Dust (poussière)

Feuilles encore plus broyées, uniquement utilisées pour les thés sachets.

Grades indiens

En Inde du nord, la description de la cueillette est plus poussée et donne une indication qualitative bien plus pertinente que pour les autres pays.

- ***G.F.O.P.*** *Golden Flowery Orange Pekoe.*
F.O.P. dont la proportion de bourgeons est importante.
- ***T.G.F.O.P.*** *Tippy Golden Flowery Orange Pekoe.*
F.O.P. contenant beaucoup de bourgeons dorés.
- ***F.T.G.F.O.P.*** *Finest Tippy Golden Flowery Orange Pekoe.*
F.O.P. de qualité remarquable.
- ***S.F.T.G.F.O.P.*** *Special Finest Tippy Golden Flowery Orange Pekoe.*
F.O.P. de qualité tout à fait exceptionnelle. Grade réservé normalement aux meilleurs Darjeeling de printemps.

Un chiffre est parfois ajouté à la fin du grade pour qualifier, non plus la finesse de la cueillette, mais la qualité gustative du thé obtenu.

Le thé et la santé

Dès son apparition en Asie, le thé fut considéré comme un aliment bienfaisant pour l'organisme. Les références les plus anciennes sur le thé dont dispose l'historien mettent en avant ses propriétés médicinales : le thé était utilisé à l'origine sous forme de pâte, en cataplasme pour combattre les rhumatismes. A leur manière, les légendes sur le thé, qu'elles soient chinoises, indiennes ou japonaises, illustrent toutes les propriétés stimulantes et tonifiantes du thé. L'Empereur Shen Nong, père de la médecine et de l'agriculture chinoises, affirmait dans son Traité des Plantes que « *le thé soulage la fatigue, fortifie la volonté, délecte l'âme et ranime la vue.* »

Au XXe siècle, la science médicale nous permet de comprendre scientifiquement de nombreux bienfaits perçus empiriquement par les buveurs de thé depuis plus de deux mille ans.

Les alcaloïdes

Il existe trois alcaloïdes dans le thé : la caféine, la théophylline et la théobromine.

Il s'agit de substances organiques que l'on retrouve dans tous les types de thés, quelle qu'en soit la couleur.

la caféine

C'est l'alcaloïde principal du thé, il représente 2% à 3% de la feuille sèche. Il faut savoir que caféine et théine sont une seule et même molécule, celle-ci étant simplement présente en plus grande proportion dans le café.

La teneur en caféine d'un thé dépend à la fois de la feuille utilisée - le bourgeon et la première feuille en contiennent deux fois plus que le Souchong - et de la saison de la récolte, les variations climatiques affectant la maturité de la feuille.

Certains thés sont donc riches en caféine : thés primeurs, cueillettes abondantes en bourgeons ; d'autres en sont quasiment dépourvus : thés fumés, Wu Long.

La caféine est un puissant stimulant du système nerveux. Contrairement à celle du café, la caféine du thé se diffuse lentement dans l'organisme. Elle permet, à ce titre, de rester éveillé et concentré sans être excité. Elle fait du thé une boisson idéale de l'activité aussi bien intellectuelle que physique.

Si cette action stimulante peut provoquer chez les personnes sensibles une légère tendance à l'insomnie, il est, en revanche, très facile de « déthéiner » soi-même son thé sans en altérer la saveur : la caféine du thé étant un composant qui se libère dans les premières secondes de l'infusion, il suffit de rincer les feuilles avec une première eau frémissante que l'on jette au bout d'une dizaine de secondes.

la théophylline

Elle est présente en quantité beaucoup moins importante que la caféine. Son action est essentiellement vasodilatatrice, c'est-à-dire qu'elle dilate veines et artères coronaires, dont elle améliore le débit. Ceci explique en partie pourquoi le thé, qu'il soit brûlant ou glacé, est une boisson rafraîchissante : la vasodilatation est un des phénomènes qui contribuent à la thermorégulation de la température du corps. La théophylline est également un stimulant respiratoire, utilisé dans certains médicaments contre l'asthme. Mais le thé, en aucun cas, ne peut être considéré comme un remède à ce type de maladie.

la théobromine

En quantité moindre que les précédents, cet alcaloïde a une

action puissamment diurétique. En activant la circulation rénale, il favorise l'élimination par les voies urinaires.

Les tanins ou polyphénols

Les tanins du thé sont des substances comparables aux tanins que l'on trouve dans le vin et dont les propriétés sont très proches. Certaines qualités du thé, comme sa couleur, son corps ou sa puissance, dépendent directement de ces dérivés polyphénoliques et des transformations qu'ils ont pu subir. On reconnaît aisément un thé riche en tanins à l'astringence de sa liqueur, qui devient parfois de l'amertume lorsque le thé est trop infusé : les tanins se libèrent lentement mais de façon croissante, ainsi une infusion trop longue augmente considérablement leur concentration et donne au thé son amertume.

Le thé et le fer

On entend souvent dire que boire du thé ferait baisser le taux de fer présent dans le corps humain.

En effet, les tanins présents dans le thé, intéressants à plusieurs titres pour la santé, ont un défaut : ils empêchent le fer des aliments d'être absorbé complètement par l'organisme lors de la digestion. Une consommation très importante de thé quotidienne (plus de 1,5 litre par jour) pourra avoir des conséquences sur l'assimilation du fer par l'organisme. Cela ne pose pas de problème particulier si le buveur de thé ne souffre pas de carence en fer et que son alimentation est équilibrée. Dans le cas contraire, il est conseillé d'attendre 40 minutes après le repas pour boire du thé.

Le fer assimilable par le corps humain se trouve essentiellement dans les viandes, beaucoup moins dans les végétaux. Une personne végétarienne sera donc plus exposée à une carence en fer. Les femmes enceintes sont également concernées : pendant cette période, mieux vaut aussi limiter sa consommation de thé.

L'astringence joue un rôle sur le resserrement du tissu cellulaire. En usage externe, le thé peut être utilisé dans un bain pour resserrer les pores de la peau, ou en dernière eau de rinçage sur les cheveux qu'il rendra lisses et brillants.

Les principaux dérivés polyphénoliques du thé sont les catéchols - dits aussi catéchines - et les flavonoïdes. Leur action sur l'organisme humain a été essentiellement mise en évidence à travers des recherches sur le thé vert. Ceci s'explique par le fait que la majorité des études scientifiques dans ce domaine ont été menées au Japon, pays qui produit exclusivement du thé vert. Cependant, depuis quelques années, ce type d'étude est étendu aux autres familles de thés : thés noirs, Wu Long, thés sombres. Si les tanins sont présents dans les différents types de thé, la fermentation, en revanche, les transforme et les effets des polyphénols des thés non verts ne sont pas encore bien connus par les chercheurs. Sont-ils les mêmes, ou sont-ils différents de ceux du thé vert ? Il faudra encore attendre quelques années pour le savoir.

La recherche scientifique a démontré une action des polyphénols du thé vert sur le mauvais cholestérol. Ainsi une consommation quotidienne de 5 tasses de thé par jour entraîne au bout de quelques mois une baisse du LDL-cholestérol, le mauvais, par opposition au HDLcholestérol. D'autres études ont approfondi cet aspect en mettant en évidence l'action du thé vert dans la prévention des maladies cardio-vasculaires, notamment l'athérosclérose, maladie artérielle associant une sclérose des artères à la présence de plaques graisseuses.

Une action digestive des polyphénols a été démontrée : boire du thé vert limite l'absorption des graisses au cours de la digestion. Ainsi, une tasse de thé prise en fin de repas, environ 40 minutes après, facilitera la digestion en activant l'élimination des matières grasses.

De nombreuses hypothèses scientifiques relatives à l'action antioxydante des polyphénols sont également testées. Présents en quantités importantes dans les fruits, les légumes, le vin rouge et le thé vert, les polyphénols joueraient un rôle essentiel dans la lutte contre les radicaux libres, responsables du vieillissement cellulaire. Un des polyphénols du thé vert - l'épigallocatéchine gallate - fait l'objet de recherches scientifiques très approfondies pour lutter contre le développement des cellules tumorales. Ce polyphénol inhiberait l'activité d'une enzyme, l'urokinase, responsable de la multiplication anarchique des cellules tumorales.

A l'heure actuelle, ces recherches sont faites chez l'animal et les mêmes résultats restent à démontrer chez l'homme pour pouvoir établir un lien entre consommation de thé et prévention de certains cancers. Par ailleurs, ces recherches ne se font, en aucun cas, dans un cadre thérapeutique mais uniquement en terme de régime alimentaire préventif.

LES VITAMINES

vitamine C

Le thé est une plante naturellement riche en vitamine C (environ 250 mg

pour 100 g de feuilles fraîches). En revanche, celle-ci est entièrement détruite dès lors qu'elle est infusée dans une eau supérieure à 30°C. Le thé ne peut donc pas se prévaloir d'un apport en vitamine C. Par contre, les flavonoïdes, l'un des tanins, favorisent l'absorption de la vitamine C par notre organisme.

vitamine P

Présente en quantité importante dans le thé, la vitamine P accroît la résistance capillaire et raccourcit la durée de saignement.

vitamines du groupe B

Fortement solubles dans l'eau, on retrouve de nombreuses vitamines B dans la tasse. Elles contribuent à la bonne santé générale du corps humain, en favorisant le métabolisme, c'est-à-dire l'ensemble des réactions s'accomplissant dans les tissus organiques : dépenses énergétiques, nutrition, assimilation...

LES ÉLÉMENTS MINÉRAUX

Le thé est riche en potassium et en fluor. En revanche, il est très peu chargé en sodium, ce qui en fait une boisson convenant parfaitement aux régimes sans sel.

On connaît l'importance du fluor dans la lutte contre la carie dentaire. Le thé en contient 0,3 mg par tasse. Sachant que, pour préserver l'émail de nos dents, il nous faut absorber par jour 1 mg de fluor, le thé, bu régulièrement, contribue efficacement à cet apport.

PRÉVENTION

En conclusion, insistons encore une fois sur le fait que l'ensemble des vertus et bienfaits mis en évidence avec le thé relève de la diététique et non de la thérapeutique. Une consommation de thé, quelle qu'en soit l'importance, ne saurait en aucun cas être assimilée à un traitement pour guérir telle ou telle maladie En revanche, la consommation régulière de thé contribue efficacement à la bonne santé du corps humain et à la prévention de certaines affections.

Thés issus de l'agriculture biologique

Le Palais des Thés propose une sélection de thés d'excellente qualité, issus de l'agriculture biologique et faisant l'objet d'une certification.

Dans les pays producteurs de thé, la notion d'agriculture biologique est encore peu répandue. Pourtant, le souci de valoriser des méthodes agricoles « propres » amène, depuis quelques années, certains planteurs à solliciter pour leur production la certification d'organismes opérant habituellement en Europe.

Contrôlées par ces derniers, les plantations en question se distinguent en deux catégories :

- celles qui pratiquent déjà une agriculture respectueuse de l'environnement, répondant aux normes établies par les labels européens : elles bénéficient alors de la certification *Issu de l'agriculture biologique* ;
- celles qui, dans un souhait de reconversion et d'amélioration de leur production, s'engagent à mettre en œuvre un cahier des charges défini par l'organisme certificateur : la certification n'intervient alors qu'à l'issue de ce processus.

Il est utile de préciser que les plantations faisant l'objet d'une certification biologique sont rares et sont le résultat d'une prise de conscience de planteurs informés et prêts à financer un contrôle régulier de leurs récoltes par un organisme. Pour autant, les plantations qui ne souhaitent ou ne peuvent faire ce type d'investissement, à cause de leur petite taille, de leurs priorités financières ou même de leur ignorance de ce type de pratique, ne doivent pas automatiquement être jugées comme moins écologiques que les autres. Précisons notamment que, dans le cas de petites exploitations, les planteurs pratiquent souvent une agriculture totalement exempte de produits chimiques, ceux-ci étant trop coûteux.

Soucieux d'encourager et de favoriser cette prise de conscience des planteurs, Le Palais des Thés importe une sélection de thés certifiés *Agriculture Biologique.* Pouvant évoluer d'une année sur l'autre - une plantation est réévaluée régulièrement - cette sélection ne figure pas dans ce guide mais dans le tarif annuel qui l'accompagne.

LE MÉCANISME DU GOÛT

Lors de la dégustation, la perception des sensations se fait en trois temps.

• Le premier contact avec le thé est olfactif, par inspiration : on commence par sentir le thé, volontairement ou non, lorsque l'on approche la tasse de sa bouche. Ce type d'olfaction, appelée olfaction directe, n'apporte que peu d'informations sur ce que l'on va boire. En effet, lors d'une inspiration, seules 10% des molécules odorantes parviennent jusqu'aux cellules nerveuses de l'odorat. Ce pourcentage peut être amélioré par une inspiration plus vive et plus brève, que les spécialistes de la dégustation appellent « flairer ».

• L'étape suivante a lieu dans la bouche, en buvant une gorgée. Deux sens interviennent : le goût et le toucher. Au niveau du goût, trois saveurs sont possibles avec le thé : l'amer, l'acide et le sucré, chacune étant plus ou moins localisable dans la bouche. Le toucher se fait par contact du thé avec les muqueuses et les dents ; il permet d'apprécier la température et la texture de la liqueur. C'est à se moment que l'on peut apprécier l'astringence, le corps et la souplesse du thé. Du point de vue du goût, les informations fournies par cette deuxième étape sont encore très limitées et la perception des arômes n'a pas encore eu lieu.

• Au moment de déglutir a lieu la rétro-olfaction, c'est-à-dire une expiration d'air par le nez, qui entraîne en même temps un appel d'air dans la bouche. Ce « courant d'air » balaie en totalité la zone sensible de l'odorat et l'on perçoit alors 100% des molécules odorantes. Pour se rendre compte de l'importance de cette étape, il suffit de se boucher le nez au moment d'avaler : la rétro-olfaction est ainsi annulée et la perception se limite alors aux 3 sensations du goût évoquées précédemment.

C'est en fait à travers l'odorat que l'on perçoit l'essentiel de ce que l'on « goûte » et que se révèle la complexité aromatique d'une boisson comme le thé.

La dégustation professionnelle

Pour pouvoir vous proposer les meilleurs thés aux meilleurs moments, les experts du Palais des Thés dégustent et comparent en permanence des dizaines et des dizaines de thés. Ces dégustations ont lieu à la fois dans les plantations d'origine, qu'elles soient indiennes, chinoises, japonaises, etc., mais également à Paris où, chaque semaine, Le Palais des Thés reçoit plusieurs centaines d'échantillons en provenance de tous les continents.

Comme pour le vin, la dégustation professionnelle du thé suit un rituel très précis, dont l'objectif est de mettre en évidence les qualités et les défauts du thé, et souvent de comparer les différents lots issus d'une même cueillette. Quel que soit le pays dans lequel elle se déroule, elle obéit toujours aux même règles et se fait avec les mêmes instruments.

Le dégustateur commence par aligner devant lui tous les échantillons qu'il souhaite goûter et comparer. Il les répand sur de grandes feuilles blanches, afin de pouvoir observer et sentir la feuille sèche, et conserve, bien ordonnées, les pochettes de chaque échantillon. Il pourra ainsi se référer en permanence aux informations qui y figurent : nom du fournisseur, date de la récolte, plantation d'origine, prix, etc.

Parole d'expert : Francois-Xavier Delmas

Fondateur du Palais des Thés

« Depuis bientôt quinze ans, j'ai la chance de pouvoir parcourir les routes du thé à la découverte des jardins, à la rencontre de celles et ceux qui y travaillent, à la recherche de la meilleure qualité.
Pourquoi aller sur place ?
C'est en arpentant les plantations, en suivant chaque étape du traitement des feuilles que l'on en apprend le plus sur le thé ; c'est sur place que nous avons accès aux thés les plus rares, les plus frais ; c'est enfin sur place que nous avons pu tisser un réseau de relations solides et expertes dans chaque pays de thé.
Un voyage dans une plantation, c'est aussi un poste d'observation des conditions de travail et de culture : y a-t-il des mauvaises herbes entre les théiers, ne pratique-t-on pas la déforestation, l'écosystème est-il respecté, comment fonctionne le dispensaire de la plantation, les enfants sont-ils bien scolarisés ? Autant d'indices qui nous permettent d'évaluer et de nous assurer de la qualité de l'agriculture pratiquée et des conditions de vie et de travail dans le jardin que nous visitons.
Aller sur place, c'est enfin, pour nous, l'occasion de rencontrer toutes celles et ceux qui participent à l'élaboration et la commercialisation du thé... Le thé, c'est aussi la boisson nationale dans de très nombreux pays... Je n'imagine pas pouvoir m'intéresser au thé en me limitant à ses aspects gustatifs et passer à côté de cette richesse humaine et culturelle... Cette richesse-là, je voudrais la partager avec vous, je voudrais vous emmener en voyage. Et que votre visite au Palais des Thés en soit la première étape.»

La dégustation du thé

Pour la préparation du thé proprement dite, l'expert utilise un set à dégustation. Celui-ci est composé de trois éléments : un bol, une tasse dentelée et son couvercle. Au cours d'une séance de dégustation, on utilise autant de sets qu'il y a de thés à goûter.

Dans chaque tasse qu'il recouvre ensuite de son couvercle, le dégustateur place 2 g de thé sur lesquels il verse environ 10 cl d'eau frémissante. La durée d'infusion peut varier de 2 minutes pour les thés verts les plus fragiles à 15 minutes pour certains thés blancs. Quel que soit le type de thé, l'infusion dure toujours plus longtemps qu'une infusion en théière : cela permet d'accentuer les caractéristiques du thé et d'en faire ressortir

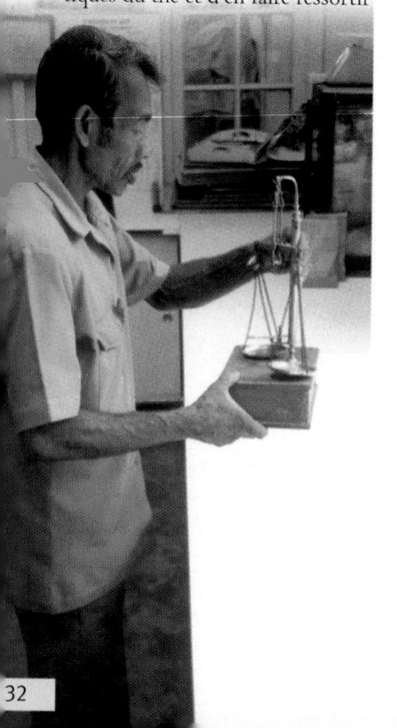

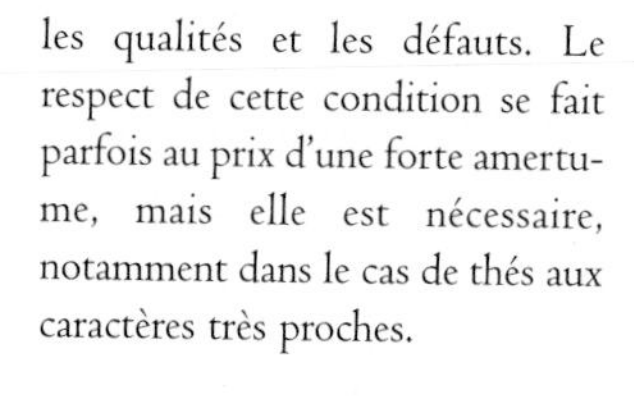

les qualités et les défauts. Le respect de cette condition se fait parfois au prix d'une forte amertume, mais elle est nécessaire, notamment dans le cas de thés aux caractères très proches.

Au bout des quelques minutes d'infusion, le dégustateur verse la liqueur dans le bol en maintenant le couvercle sur la tasse. Les feuilles sont ainsi retenues et ne viennent pas troubler la liqueur.

A l'issue de ces préparatifs, le thé se présente dans ses trois états : feuille sèche, infusion (c'est-à-dire la feuille infusée) et liqueur. La dégustation peut alors commencer. Pour la feuille sèche et l'infusion, l'expert évalue :

- leur aspect : taille, couleur, finesse de la cueillette, travail de la feuille…
- leur texture : souplesse et résistance, degré d'hygrométrie de la feuille sèche,
- leur parfum : notes sèches et notes infusées,

Pour la liqueur, il apprécie plus particulièrement :

- la couleur et la limpidité du liquide,
- sa tenue en bouche,
- son goût : saveurs et arômes.

Le glossaire de dégustation ci-contre recense le vocabulaire utilisé par le dégustateur et permet de décrire les sensations perçues lorsque l'on boit du thé.

GLOSSAIRE DU DÉGUSTATEUR

Vocabulaire technique

- ***Arôme*** : *dans le langage technique de la dégustation,* arôme *devrait être réservé aux sensations olfactives perçues dans la bouche lors de la rétro-olfaction. Mais le mot désigne aussi fréquemment les odeurs en général.*
- ***En bouche*** : *ensemble des caractères perçus dans la bouche, concernant l'odorat, le toucher et le goût.*
- ***Bouquet*** : *ensemble des caractères odorants se percevant au nez lorsque l'on flaire un thé, puis dans la bouche sous le nom d'arômes.*
- ***Infusion*** : *il s'agit à la fois de l'acte d'infuser et des feuilles mouillées que l'on récupère ensuite. Pour le thé, ce n'est jamais le liquide obtenu par infusion, appellé alors la liqueur.*
- ***Liqueur*** : *voir ci-dessus.*
- ***Au nez*** : *voir* bouquet.
- ***Parfum*** : *odeur.*
- ***Odeur*** : *perçue directement par le nez, à la différence des arômes perçus en bouche.*
- ***Saveur*** : *sensation (sucrée, salée, acide, amère, umami) perçue sur la langue.*

Décrire l'impression générale du thé (saveur et texture)

- ***Acide*** : *une des cinq saveurs. Présente dans certains thés verts, Wu Long et Darjeeling de printemps, auxquels elle donne fraîcheur et nervosité.*
- ***Aiguë*** : *se dit d'une liqueur très vive, dont la note fraîche et acide est bien présente, presque piquante, et dont chaque arôme s'exprime avec finesse.*
- ***Amer*** : *une des cinq saveurs. Normale pour certains thés riches en tanins. Elle a tendance à se développer lorsqu'on les laisse trop infuser.*
- ***Ample*** : *se dit d'une liqueur pleine, ronde et longue en bouche.*
- ***Apre*** : *sensation rude, un peu râpeuse, provoquée par les tanins.*
- ***Aromatique*** : *se dit d'une liqueur riche et forte en arômes.*
- ***Astringent*** : *caractère un peu âpre et rude en bouche, provoqué par les tanins.*
- ***Capiteuse*** : *se dit d'une liqueur riche en arômes épicés et fleuris.*
- ***Chaleureux*** : *qualifie des arômes épicés, boisés et*

sylvestres alliés à une saveur sans aucune acidité ; désigne, par extension, la liqueur présentant ce caractère.
- ***Charpentée*** : *se dit d'une liqueur à prédominance tannique, qui remplit bien la bouche. Voir* ronde, pleine.
- ***Complexe*** : *qualifie un bouquet d'arômes très riche, d'une très grande subtilité.*
- ***Corps*** : *caractère d'une liqueur alliant une bonne constitution (charpenté) et des arômes chaleureux.*
- ***Corsée*** : *se dit d'une liqueur ayant du corps.*
- ***Coulante*** : *qualifie une liqueur souple et agréable, sans aspérité. Se dit pour les thés peu tanniques.*
- ***Court en bouche*** : *qui laisse peu de traces en bouche et en arrière-bouche après la dégustation.*
- ***Cru*** : *vert et plus acide que la moyenne.*
- ***Doux*** : *se dit des liqueurs dont la saveur est légèrement*

sucrée, où perce parfois une pointe d'acidité, et qui ne présentent aucune astringence. Voir moelleux, velouté, soyeux.

- ***Finesse*** *: qualité d'une liqueur délicate, aux arômes multiples et subtils.*
- ***Fort*** *: terme plutôt vague, qui qualifie en général une liqueur corsée et colorée.*
- ***Frais*** *: se dit des thés légèrement acides, provoquant une sensation de fraîcheur.*
- ***Franc*** *: désigne un thé dont les caractères (couleur, parfums, saveurs, arômes...) sont bien marqués et s'expriment sans défaut, ni ambiguïté.*
- ***Frivole*** *: se dit des thés à la fois très riches en arômes et très courts en bouche. Impression de fugacité.*

- ***Généreux*** *: riche en arômes, sans pour autant être fatigant, ce qui peut être le cas de thés capiteux.*
- ***Glissante*** *: voir* coulante.
- ***Iodée*** *: note présente dans certains thés comme les thés verts japonais.*
- ***Jeune*** *: qualifie des thés dont la cueillette est précoce et qui présentent un caractère vert et légèrement acide.*
- ***Léger*** *: se dit d'un thé peu corsé, faible en tanins.*
- ***Lisse*** *: qualifie une liqueur sans aspérité, due à l'absence de tanins. Voir* glissant, coulant.
- ***Long en bouche*** *: se dit d'un thé dont les arômes laissent en bouche et en arrière-bouche une impression plaisante et persistante après la dégustation.*
- ***Moelleux*** *: se dit d'un thé à la fois rond en bouche et légèrement acide. Voir* onctueux, soyeux.
- ***Mordant*** *: qualifie un thé à la fois astringent et acide, dont l'impression est forte et durable.*
- ***Nerveux*** *: se dit d'un thé dont les caractères sont bien accusés, avec une légère pointe d'acidité.*
- ***Onctueux*** *: voir* moelleux
- ***Odorante*** *: se dit d'une liqueur ou d'une infusion riche et forte en parfums.*
- ***Plein en bouche*** *: qui donne une sensation de plénitude et remplit bien la bouche. Voir également* rond.
- ***Pointu*** *: voir* aigu.
- ***Puissante*** *: qualifie une liqueur corsée et longue en bouche.*
- ***Raffiné*** *: se dit d'un thé dont les parfums, les saveurs et les arômes sont à la fois fins et subtils.*
- ***Râpeux*** *: se dit d'un thé très astringent, souvent de mauvaise qualité ou beaucoup trop infusé.*
- ***Robuste*** *: qualifie un thé dont la constitution est très charpentée. Caractère à adoucir avec du lait.*
- ***Ronde*** *: se dit d'une liqueur dont la souplesse et parfois le moelleux donnent en bouche une impression de rondeur.*
- ***Rondeur*** *: qualité d'une liqueur qui remplit la bouche de façon sphérique.*
- ***Salé*** *: une des cinq saveurs. Inexistante dans le thé quasiment dépourvu de sodium.*
- ***Savoureuse*** *: se dit d'une liqueur riche et forte en saveurs.*
- ***Souple*** *: se dit d'une liqueur dont le moelleux l'emporte sur l'astringence. Voir* glissant, coulant.
- ***Soutenu*** *: qualifie un arôme qui reste longtemps présent en bouche.*

- ***Soyeux*** *: qualifie un thé souple et moelleux, avec une nuance d'harmonie, rappelant la douceur de la soie.*
- ***Subtil*** *: qualifie un thé aux parfums et arômes délicats et complexes.*
- ***Sucré*** *: une des cinq saveurs, qu'on devine parfois dans certains thés verts chinois très légers. Plutôt rare, sauf dans l'Ama Cha.*
- ***Tannique*** *: se dit d'une liqueur riche en tanins.*
- ***Tonique*** *: caractère d'un thé jeune et vert, dont la note acide est bien présente.*
- ***Umami*** *: une des cinq saveurs, jamais présente dans le thé. On la ressent surtout dans une grande partie de la cuisine asiatique, car elle est liée à la présence de glutamate dans les aliments.*
- ***Veloutée*** *: se dit d'une liqueur lisse et soyeuse, presque sucrée.*
- ***Verdeur*** *: caractère frais et acide.*
- ***Vif*** *: se dit d'une liqueur fraîche et légère avec une petite dominante acide mais sans excès. En général très agréable.*
- ***Vigoureux*** *: se dit d'un thé à la fois astringent et nerveux, dont la présence est immédiate en bouche.*

Décrire les caractères olfactifs et rétro-olfactifs (parfums, arômes)

Voici une liste de termes couramment employés pour décrire l'impression olfactive et rétro-olfactive lors d'une dégustation et qui permet de l'exprimer à partir d'arômes connus.

Notes hespéridées :
qualifient les arômes qui rappellent les agrumes.
Orangée
Citronée
Zestée

Notes fruitées :
Amande amère
Amande verte
Fruit mûr
Fruit noir
Fruit rouge
Fruit sec
Fruitée
Muscat - Muscatée
Pêche
Pomme verte
Raisin mûr

Notes florales :
Toutes les notes fleuries et en particulier :
Freesia
Iris
Jasmin
Narcisse
Orchidée
Rose

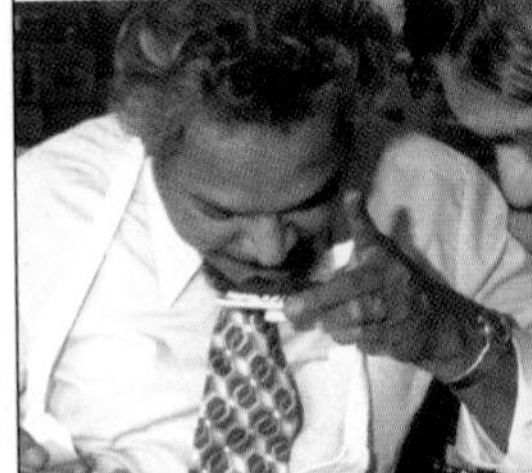

Notes épicées :
Anis
Cacao
Maltée
Muscade
Menthe
Miel
Poivre
Réglisse

Notes végétales et sylvestres :
se dit des arômes boisés, balsamiques, moisis
Bois sec
Bois vert
Boisée
Châtaigne
Ecorce
Herbe
Mousse
Rocailleux
Sous-bois
Terre mouillée après l'orage
Tourbe

Notes empyreumatiques :
qualifient une série d'odeurs et d'arômes rappelant la fumée, le brûlé, le caramélisé.
Fumée
Grillée
Brûlée

COMMENT UTILISER LE GUIDE DES

Dans les pages suivantes, nous vous invitons à découvrir tous les thés et mélanges parfumés sélectionnés ou créés par Le Palais des Thés. Riche de ses informations précieuses et de ses conseils pratiques, ce guide vous permettra de bien connaître et de bien choisir les thés que vous souhaitez déguster.

Chaque pays ou région d'origine est symbolisé par une couleur, reprise par un bandeau sur chaque page.

Une carte indique, pour chaque pays, les régions où est cultivé le thé.

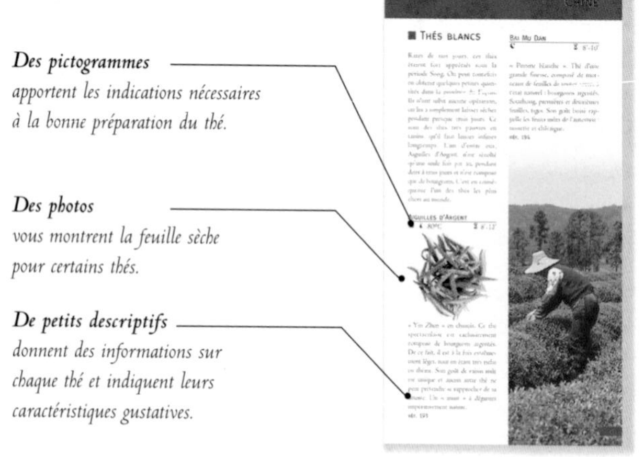

Des pictogrammes *apportent les indications nécessaires à la bonne préparation du thé.*

Des photos *vous montrent la feuille sèche pour certains thés.*

De petits descriptifs *donnent des informations sur chaque thé et indiquent leurs caractéristiques gustatives.*

Légende des symboles utilisés

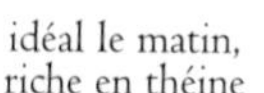

idéal le matin, riche en théine

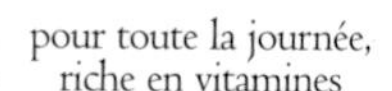

pour toute la journée, riche en vitamines

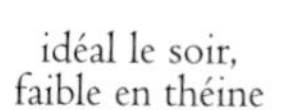

idéal le soir, faible en théine

température d'infusion

duré d'infusi

Légende des couleurs utilisées

ASIE

Chine, Taiwan, Indonésie, Viêt-nam, Malaisie

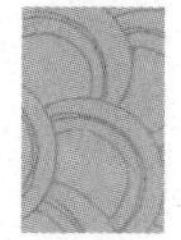

ASIE

Japon

ASIE

Inde, Sri Lanka, Népal, Bangladesh

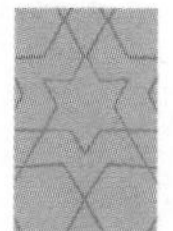

DE LA MER NOIRE À LA MER CASPIENNE

Iran, Turquie, Géorgie

AFRIQUE

Rwanda, Cameroun, Kenya, Ile Maurice, Zimbabwe

AMÉRIQUE DU SUD

Brésil, Argentine

MÉLANGES ET PARFUMS

Mélanges traditionnels anglais, Goût russes, Fleurs de Chine, Mélanges parfumés

THÉS ISSUS DE L'AGRICULTURE BIOLOGIQUE

Notre politique d'achat

Dès l'origine du Palais des Thés, nous avons privilégié l'achat direct du thé dans les plantations. Nos experts parcourent ainsi chaque année une vingtaine de pays, asiatiques essentiellement, mais aussi africains et sud-américains.

Le fait de voyager beaucoup, d'acheter et de déguster sur place a de multiples avantages et nous permet en particulier :

- *de découvrir des crus rares en sortant des circuits d'approvisionnement traditionnels, de goûter et de vous faire partager les récoltes de petites plantations, souvent si confidentielles qu'elles sont écoulées presque exclusivement sur les marchés locaux,*
- *d'assurer un contrôle-qualité régulier des thés que nous achetons en vérifiant périodiquement sur le lieu même de production la façon dont ils sont cueillis, travaillés, conditionnés...*
- *de bien connaître les planteurs et leur façon de gérer leur plantation, exiger d'eux qu'ils travaillent dans le respect de notre éthique d'achat, à savoir :*
  - *pas de travail des enfants, ni de travail forcé,*
  - *respect de l'environnement et utilisation de méthodes culturales propres,*
  - *pas de déforestation,*
  - *des salaires décents versés aux travailleurs,*
  - *respect des normes d'hygiène et de sécurité,*
- *d'établir des relations durables, fondées sur la confiance et l'amitié avec nos fournisseurs, condition essentielle au succès de toute entreprise.*

Berceau du thé et premier producteur mondial jusqu'au XIXe siècle, la Chine occupe aujourd'hui la seconde position, derrière l'Inde.
Ce sont essentiellement dans les provinces du sud et du centre que se trouvent les plantations. Longtemps, celles-ci ont été gérées au niveau régional par un bureau centralisateur exclusif, chargé de commercialiser la production de toute la région. Avec l'arrivée de Deng Xiao Ping au pouvoir et la libéralisation commerciale qui l'a accompagnée, de nombreuses sociétés privées sont apparues, mettant souvent directement en contact importateurs et plantations. Forte de son passé centralisateur, la Chine ne propose pas, comme en Inde ou au Sri Lanka, de jardins spécifiques, mais de grandes appellations bien définies pour chaque type de thé, correspondant à des standards de qualité.

Les régions chinoises productrices de thé bénéficient d'un climat moyennement humide mais dont les pluies sont bien réparties sur toute l'année. Par ailleurs de nombreuses plantations sont situées à flanc de colline et sont en permanence recouvertes de brumes, ce qui donne à la feuille une bonne humidité, très importante pour la qualité des thés verts. La cueillette principale, à la fois la meilleure et la plus abondante, a lieu de mi-avril à mi-mai.

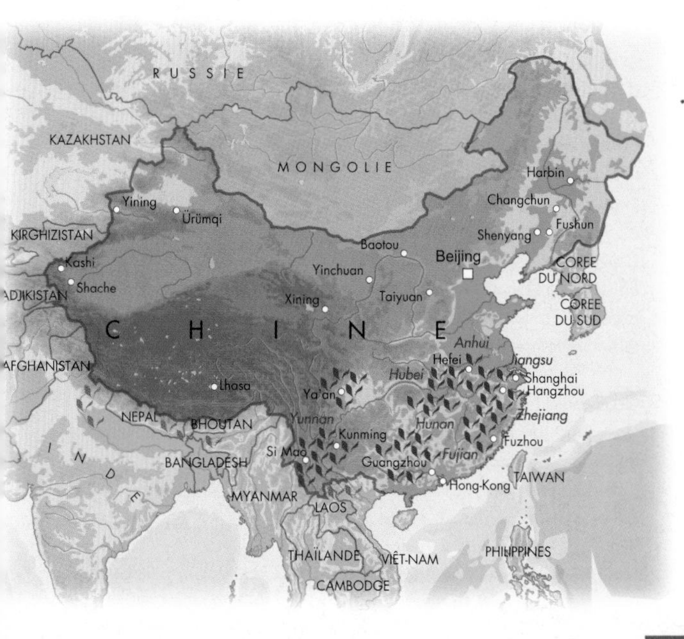

Offrir le meilleur

Les standards de qualité sont surtout valables pour les thés noirs, réservés essentiellement à l'exportation et dont la production se fait à très grande échelle, ce qui permet d'autant plus facilement d'atteindre une qualité homogène, en mélangeant de nombreux lots. Concernant les thés verts, et surtout les plus prestigieux d'entre eux, ils sont souvent produits en beaucoup plus petite quantité, ce qui en fait des thés rares dont il est parfois difficile d'obtenir la même qualité d'une année sur l'autre.

Pour en apprécier toute la fraîcheur et la finesse, ces thés verts doivent être bus « primeurs », c'est-à-dire dans les huit à dix mois qui suivent la cueillette. C'est pourquoi, Le Palais des Thés a décidé d'appliquer aux grandes appellations de thés verts la même politique d'achat que celle des Darjeeling de printemps. Ainsi, chaque année, nos experts se rendent dans les plantations de l'Anhui, du Fujian, du Zhejiang, du Yunnan, du Jiangsu ou du Sichuan afin de sélectionner les meilleurs thés du moment et les expédier le plus rapidement possible vers la France.

Cette sélection, renouvelée une fois par an, est généralement disponible à partir du mois de juillet, à l'exception des thés expédiés par avion, vendus dès le mois de mai, soit quelques semaines à peine après avoir été récoltés.

Huang Hua Yun Jian

Huang Shan Mao Feng

Xue Ya

Yi Go Mao Jian

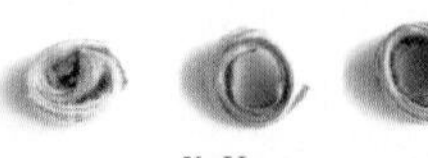

Yu Huan

Cinq thés verts primeurs célèbres

THÉS BLANCS

Rares de nos jours, ces thés étaient fort appréciés sous la période Song. On peut toutefois en obtenir quelques petites quantités dans la province du Fujian. Ils n'ont subi aucune opération : on les a simplement laissé sécher pendant presque trois jours. Ce sont des thés très pauvres en tanins, qu'il faut laisser infuser longtemps. L'un d'entre eux, Aiguilles d'Argent, n'est récolté qu'une seule fois par an, pendant deux à trois jours et n'est composé que de bourgeons. C'est en conséquence l'un des thés les plus chers au monde.

AIGUILLES D'ARGENT

80°C — 8'-12'

« Yin Zhen » en chinois. Ce thé spectaculaire est exclusivement composé de bourgeons argentés. De ce fait, il est à la fois extrêmement léger, tout en étant très riche en théine. Son goût de raisin mûr est unique et aucun autre thé ne peut prétendre se rapprocher de sa finesse. Un « must » à déguster impérativement nature.

RÉF. 193

BAI MU DAN

8'-10'

« Pivoine blanche ». Thé d'une grande finesse, composé de morceaux de feuilles de toutes sortes à l'état naturel : bourgeons argentés, Souchong, premières et deuxièmes feuilles, tiges. Son goût boisé rappelle les fruits mûrs de l'automne : noisette et châtaigne. PHOTO P.15.

RÉF. 194

THÉS VERTS

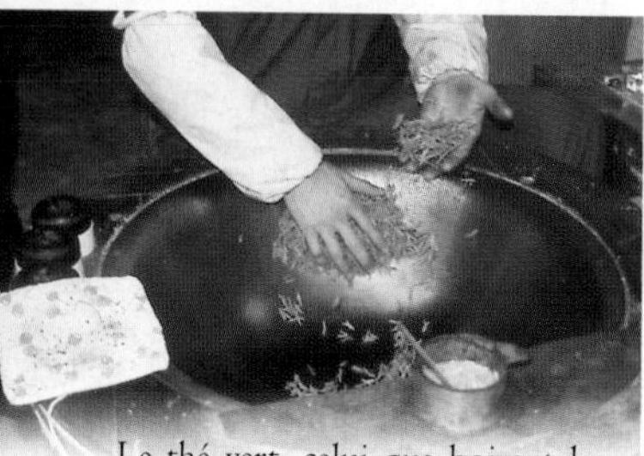

Le thé vert, celui que boivent les Chinois quotidiennement, représente près de 80% de la production, dont une bonne partie est réservée à la consommation intérieure. Il est cultivé essentiellement dans les régions montagneuses et humides de l'Anhui, du Zhejiang, du Jiangsu, du Fujian et du Guanxi. Les feuilles peuvent être pliées, torsadées, roulées dans le sens de la longueur (aiguilles) ou en boule, ou également façonnées. Ces thés sont caractérisés par leur fraîcheur, leur verdeur et leur longueur en bouche. Ils doivent, en général, infuser 3 minutes.

Le Palais des Thés propose :

- chaque année, une dizaine de thés prestigieux, sélectionnés parmi les centaines de thés produits par la Chine en très petites quantités. Extrêmement frais, d'une finesse exceptionnelle, ils sont remplacés d'une année sur l'autre par de nouvelles références et, doivent, pour une dégustation optimale, être bus primeurs, dans les huit à dix mois qui suivent la récolte.
- en permanence, les thés les plus connus en Chine.

thés verts « primeurs »

se reporter au tarif de l'année en cours

feuilles pliées

Ce type de traitement manuel de la feuille donne des thés doux et veloutés.

LONG JING

☀ ⌛ 3'

« Puits du Dragon ». L'un des thés de Chine les plus réputés. Originaire de la province de Zhejiang, il pousse sur les sommets des montagnes Tian Mu. On le reconnaît à la forme du pliage qui imite la feuille de thé. Parfum délicat. Goût légèrement sucré et soyeux. Liqueur veloutée, longue en bouche, au parfum de châtaigne. Une bonne initiation au thé vert.

RÉF. 198

PING CHA

☀ ⌛ 3'

Littéralement « Thé plat ». Originaire de la province du Zhejiang. Le thé que consomment quotidiennement les Chinois. Doux, frais, vitaminé.

RÉF. 199

feuilles torsadées

Une feuille torsadée donne en général un thé fin et parfumé, un peu plus corsé que les thés en feuilles pliées.

GU ZHANG MAO JIAN

☀ ⌛ 4’

Subtil thé d’altitude, il a ce parfum de terre mouillée après l’orage que recherchent les Chinois. Légèrement corsé.

RÉF. 209

LONG ZHU

☀ ⌛ 4’

Rond, délicat et parfumé, ce thé développe les mêmes notes sylvestres que le Gu Zhang Mao Jian, mais ici sans aucune astringence.

RÉF. 210

LIN YUN

☀ ⌛ 4’

Thé faible en théine, au parfum prononcé et au goût désaltérant.

RÉF. 211

feuilles roulées

Ici, le thé est plus tonique et plus astringent, à cause du travail de la feuille.

HYSON

☀ ⌛ 4’

Feuille fine et délicate, roulée en perle. S’accommode avec de la menthe, mais se boit le plus souvent nature. Vitaminé et dynamisant, c’est un thé du matin.

RÉF. 212

CHUN MEE

☀ ⌛ 4’

« Sourcil du vieil homme ». Thé roulé en aiguilles qui développe un bel arôme de feuilles fraîches. Puissant et parfumé.

RÉF. 213

GUNPOWDER

☀ ⌛ 4’

« Poudre à canon ». Thé roulé en petites perles, utilisé pour le thé à la menthe dans le rituel marocain. Vif et astringent, frais et désaltérant.

RÉF. 214

Tasse Concubine bleu-vert
Réf. N005A

Tasse Concubine sable
Réf. N005B

Tasse Concubine noire
Réf. N005C

WU LONG OU THÉS SEMI-FERMENTÉS

Ce sont aussi des thés que les Chinois qualifient de bleu-vert. Ces thés, aux feuilles longues et pâles avant traitement, dont la teneur en théine est très faible, sont travaillés selon trois types de fermentation :

- une fermentation légère (12%-15%), que les Chinois appellent « Wu-Yi » du nom des montagnes du Fujian d'où proviennent ces thés,
- une fermentation intermédiaire (40%), qui donne notamment les Tie Guan Yin,
- une fermentation plus forte (50% à 60%) qui se rapproche des Wu Long de Taiwan.

Ce sont des thés peu théinés idéals en fin d'après-midi ou le soir, très réputés dans la pharmacopée traditionnelle chinoise : thés désaltérants, apaisants, facilitant la digestion des graisses. Les Wu Long peuvent être préparés en théière traditionnelle, à raison de 10 g à 20 g de thé par litre d'eau, que l'on fait infuser pendant 7 à 8 minutes. Il peuvent également être dégustés au Gong Fu Cha (voir page 56), dans de toutes petites théières que l'on remplit de feuilles et que l'on fait infuser 30 à 60 secondes. Les thés semi-fermentés de très grande qualité peuvent subir plusieurs infusions, sans que leur goût en soit altéré.

fermentation légère (12%-15%)

GRAND SHUI XIAN

☾ ⧗ 5'-7'

« Narcisse ou Fée de l'eau ». Thé désaltérant de la province du Fujian. Son goût est frais et iodé. Grande douceur.

RÉF. 2175

fermentation intermédiaire (40%)

TIE GUAN YIN IMPÉRIAL

☾ ⧗ 5'-7'

« Déesse en Fer de la Miséricorde ». La plus belle qualité de Tie Guan Yin. Les feuilles, d'un vert som-

bre presque noir, sont légèrement jaunes sur les bords et donnent une tasse ambrée au parfum fleuri et noiseté. Un thé long en bouche, d'une grande finesse.
RÉF. 2165

TIE GUAN YIN
☾ ⧗ 5'-7'

Le plus sombre et le plus boisé des thés semi-fermentés de Chine. Belle infusion ambrée, qui rappelle la cannelle et le réglisse. Le plus apprécié des Chinois.
RÉF. 217

fermentation plus forte (50%-60%)

KUAI
☾ ⧗ 5'-7'

Le plus parfumé et le plus fleuri, ce thé semi-fermenté est agrémenté de pollen de fleurs de cannelier et de pistils d'orchidée.
RÉF. 216

SE ZHONG
☾ ⧗ 5'-7'

Un thé corsé et rocailleux, dont le goût rappelle la tourbe.
RÉF. 218

THÉS NOIRS

La naissance du thé noir est très mystérieuse en Chine. Les Chinois n'ayant produit pendant des siècles que du thé vert, on ne sait pas bien ce qui les a amenés à le faire fermenter. Une légende raconte que le thé noir serait le produit accidentel d'une cargaison de caisses de thé vert ayant fermenté lors d'une trop longue traversée en mer. Arrivé à bon port, le thé aurait été apprécié par ses destinataires, qui en auraient recommandé... Quoi qu'il en soit, les thés noirs sont produits essentiellement pour être exportés. Ils proviennent des régions du Yunnan, de l'Anhui, du Fujian, du Jiangxi et du Sichuan.

Yunnan

Il s'agit d'un thé d'altitude, qui donne une infusion très colorée. Ce thé rond, plein et sans amertume, qui reste longtemps en bouche, est considéré comme l'un des meilleurs thés noirs au monde. Son goût de miel est unique. C'est un thé qui rencontre un énorme succès, car il marie les deux caractères que recherchent de très nombreux buveurs de thé : un thé léger et doux, qui, en même temps, a du corps et reste bien en bouche. Ces caractéristiques en font peut-être le thé par lequel il faut commencer lorsque l'on souhaite se convertir du café au thé.

BOURGEONS DE YUNNAN

95°C — 3'-5'

Récolte spectaculaire et exceptionnelle. Composée presque exclusivement de très longs bourgeons dorés, elle est au thé noir ce que les Aiguilles d'Argent sont au thé blanc : un must absolu de finesse, qui ravira les amateurs. A l'infusion, la feuille dégage un parfum puissant et profond, aux notes de sous-bois, presque animales, qui rappelle la truffe. La liqueur est sombre, presque noire, et son bouquet, plein et généreux, évoque le cacao. Sans conteste, le meilleur des Yunnan.

RÉF. 2185

YUNNAN D'OR

3'-5'

Cueillette exceptionnelle et d'une rare finesse que les experts du Palais des Thés vont directement chercher sur le lieu de production, ce qui est très difficile en Chine, dans la mesure où la commercialisation du thé y est encore très centralisée au niveau de chaque province. L'un des plus fins, des plus délicats et des plus subtils thés du Yunnan. PHOTO P.15.

RÉF. 219

GRAND YUNNAN IMPÉRIAL

⌛3'-5'

Fleuri et doux, le grand caractère et la subtilité de ce thé lui valent le nom de « Moka des thés » ou « Thé des chirurgiens », car il réveille sans énerver. Feuille superbe, avec beaucoup de bourgeons dorés. Infusion très colorée. Merveilleux thé du matin au parfum de miel.

EN VRAC : RÉF. 220

EN BOITE MÉTAL (100 G) : RÉF. DV220

EN MOUSSELINES : RÉF. D220S

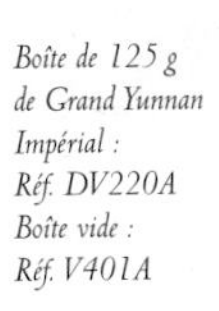

Boîte de 125 g de Grand Yunnan Impérial : Réf. DV220A
Boîte vide : Réf. V401A

GRAND YUNNAN

⌛3'-5'

Doux, avec beaucoup de caractère.
RÉF. 221

Qimen

Les Qimen sont originaires de la province de l'Anhui, à l'ouest de Shanghai, une région de faible altitude. Ce sont des thés très fins et très légers, qui peuvent être consommés en fin de journée. Les feuilles sont courtes, bien roulées et très noires. La liqueur a un goût de cacao.

PAROLE D'EXPERT : XU HE

Responsable de l'export du thé pour la province du Yunnan

« Avec le Palais des Thés, j'ai affaire à des passionnés, leurs experts sont toujours à la recherche de nouveaux thés, de cueillettes encore plus fines : cela se sait dans le Yunnan et régulièrement quelques petites exploitations viennent me voir pour me présenter des thés qu'elles se proposent de produire sur mesure pour Le Palais des Thés. C'est le cas par exemple des Bourgeons de Yunnan… »
« S'il y a une chose que j'apprécie vraiment avec l'équipe du Palais des Thés, en plus de la longue amitié qui nous lie, c'est bien sa capacité à transmettre sa passion et à faire connaître à ses clients les thés qu'elle a découverts. Le cas du Grand Yunnan Impérial est typique : c'est un thé que nous ne vendions pas en France il y a une quinzaine d'années, mais qui, à partir du moment où Le Palais des Thés a commencé à le faire connaître à ses clients, est devenu pour nous une très bonne référence : aujourd'hui Le Palais des Thés est notre meilleur client pour ce type de qualité de Yunnan. »

QIMEN IMPÉRIAL

⌛3'-5'

La plus belle qualité de Qimen existant. C'est une cueillette extrêmement difficile à trouver : l'une des plus rares et des plus recherchées de l'Anhui. Volontairement produit en très petite quantité, le Qimen Impérial doit sa notoriété à ses notes de cuir et son goût malté uniques.
RÉF. 223

QIMEN HAO YA

⧗ 3'-5'

Comme le précédent, ce thé pousse sur la montagne Huang. Très belle cueillette. Ce thé a un goût délicat, légèrement chocolaté. Subtil thé de fin d'après midi.
RÉF. 224

QIMEN DA BIE

⧗ 3'-5'

Thé fin et délicat, poussant sur la montagne Da Bie. Une bonne initiation pour découvrir les Qimen.
RÉF. 2245

QIMEN

⧗ 3'-5'

Faible en théine. Pour la journée.
RÉF. 225

Par souci d'authenticité, nous respectons l'appellation de l'origine, ainsi, nous adoptons la transcription officielle dite PIN YIN :

Chung Feng : Chun Feng
Keemun : Qimen
Kwai : Kuai
Long Zhong : Long Zhu
Lung Ching : Long Jing
Oolong : Wu Long
Pai Mu Tan : Bai Mu Dan
Pu Ehr : Pu Er
Se Chung : Se Zhong
Shui Hsien : Shui Xian
Tieh Kuan Yin : Tie Guan Yin

Sichuan

SICHUAN

⧗ 3'-5'

Beau thé, très léger. Goût franc et malté.
RÉF. 226

THÉS FUMÉS

Produits dans la province du Fujian, ils sont obtenus à partir de Souchong (feuilles basses de grande dimension), fumés à la racine d'épicéa. Très faibles en théine, ils conviennent pour n'importe quel moment de la journée et peuvent accompagner un repas ou un petit déjeuner salé.

GRAND LAPSANG SOUCHONG

4'-5'

Le plus fin et le plus léger des thés fumés. Saveur délicate, où l'on retrouve bien les deux éléments : goût du thé et notes fumées. PHOTO P.15
RÉF. 240

POINTES BLANCHES

4'-5'

Un grand classique. Fleuri avec des bourgeons argentés.
RÉF. 241

LAPSANG SOUCHONG

4'-5'

Plus fumé que les précédents.
RÉF. 242

THÉS JAUNES

Ce sont des thés d'une très grande rareté, produits très irrégulièrement, dont Le Palais des Thés achète certaines années quelques caisses. Dans ce cas, ces thés sont présentés avec la liste des thés verts primeurs.

THÉS SOMBRES

Originaires de la province du Yunnan, ces thés ont la particularité de fermenter en tas sous une toile humide pour conserver un degré d'hygrométrie supérieur à 85%. Les thés sombres subissent cette opération plusieurs fois de suite.

feuille entière

PU ER IMPÉRIAL

4'

Très fine cueillette, avec beaucoup de bourgeons, de ce type de thé très particulier. Son parfum puissant rappelle la terre humide et l'écorce. Son nom signifie « fond de pantalon ». Une légende chinoise raconte que les cueilleuses conservaient pour elles-mêmes les meilleures feuilles qu'elles cachaient discrètement dans leurs poches, avant de les rapporter chez elles.
Le Pu Er est réputé dans la pharmacopée chinoise pour ses qualités médicinales. « *Il fait, dit-on, baisser le taux de cholestérol, dissout les graisses, aide à la digestion, aide à la circulation du sang et dissipe les effets de l'alcool.* » C'est un thé qui se bonifie en vieillissant, à cause de l'oxydation spécifique subie par les tanins.
RÉF. 215

Bol jaune impérial - Réf. N020

thés sombres compressés

Ces thés correspondent à une ancienne façon de consommer le thé. Compressé sous diverses formes pour en faciliter le transport, ce type de thé servait aussi à payer l'impôt dans la Chine féodale. Ce sont pour la plupart des Pu Er.

BRIQUE DE THÉ DE CHINE

1,15 kg ⌛ 4'

Le thé tel qu'il voyageait à l'époque des caravanes. Décor traditionnel.
RÉF. C280

NATTE DE THÉ

⌛ 4'

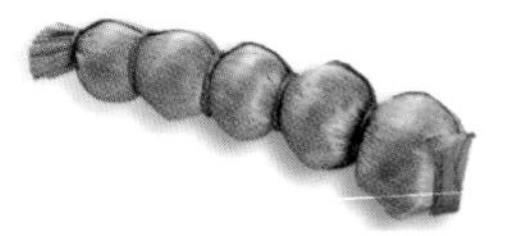

Tresse de feuilles de bananier séchées enveloppant cinq boules de thé compressé de Chine, à utiliser en teinture, à raison d'une boule par litre, ou à plonger dans sa baignoire à des fins relaxantes.
RÉF. C285

Pour en savoir plus sur les thés et traditions de Chine, nous vous conseillons le livre de John Blofeld, Thé et Tao, *Albin Michel, Paris 1997. Réf. L007.*

THÉ AU BOIS DE CANNELLE

Dans le village de Jinhong, situé au cœur du Triangle d'Or, entre Chine et Laos, se perpétue une coutume ancestrale. Lors du changement de lune qui annonce la nouvelle année, les jeunes adultes du village offrent aux anciens le fameux thé des montagnes Pu Er, réputé pour ses vertus de longévité.

Dans les jours qui précèdent la fête, ils partent dans la forêt à la recherche de l'arbre à cannelle, et taillent dans l'une de ses branches une boîte destinée à recueillir le précieux thé. Conservées ainsi pendant plusieurs jours, les feuilles s'imprègnent d'un subtil arôme de cannelle.

Thé au bois de cannelle - Réf. D015

Indonésie

Depuis le début du XIXe siècle, Sumatra et Java produisent du thé à partir de plants d'Assam. Cinquième producteur mondial, l'Indonésie donne des thés plutôt corsés et ronds s'accommodant assez bien du lait, surtout pour les feuilles brisées.

Java Malabar O.P.

3'-5'

Un bel Orange Pekoe pour toute la journée.

RÉF. 320

Sumatra B.O.P.

2'-5'

Très corsé, un très bon thé brisé pour le petit déjeuner.

RÉF. 325

Viêt-nam

Gros producteur avant la guerre, le Viêt-nam a repris ces dernières années la culture du thé, essentiellement sur les hauts plateaux. Ce pays est aujourd'hui le dixième producteur mondial.

Viêt-nam F.B.O.P.

2'-5'

Brisé, fleuri et légèrement corsé.

RÉF. 330

Malaisie

Petit producteur, la Malaisie donne des thés noirs peu corsés.

Malaisie O.P.

3'-5'

Pour toute la journée.

RÉF. 335

Taiwan

L'île de Taiwan porte encore son ancien nom de Formose, lorsqu'il s'agit du thé. Annexée par les Chinois à la fin du XVIIe siècle, Formose a commencé par produire du thé en très petites quantités, à partir de plants de théiers transplantés du Fujian. Ce n'est qu'avec la prise du pouvoir en Chine continentale par les communistes en 1949 que la production a été considérablement diversifiée et augmentée. L'île, extrêmement fertile, présente des conditions de culture idéales : plantations d'altitude où la température est toujours comprise entre 12°C et 20°C et bonne humidité.

Taiwan est réputée pour ses thés semi-fermentés appelés « Wu Long », ce qui signifie « Dragon Noir » en chinois. Ceux-ci peuvent subir des fermentations très variables selon les plantations, ce qui rend un peu caduque l'opposition entre méthode chinoise et méthode taiwanaise, qui a longtemps prévalu pour qualifier les Wu Long. Les thés taiwanais sont donc classés en fonction de leur degré de fermentation et non plus en référence à une méthode de préparation.

Taiwan produit également des thés verts et noirs, dont les plus connus sont les thés fumés Tarry Souchong, réputés pour leur force peu commune.

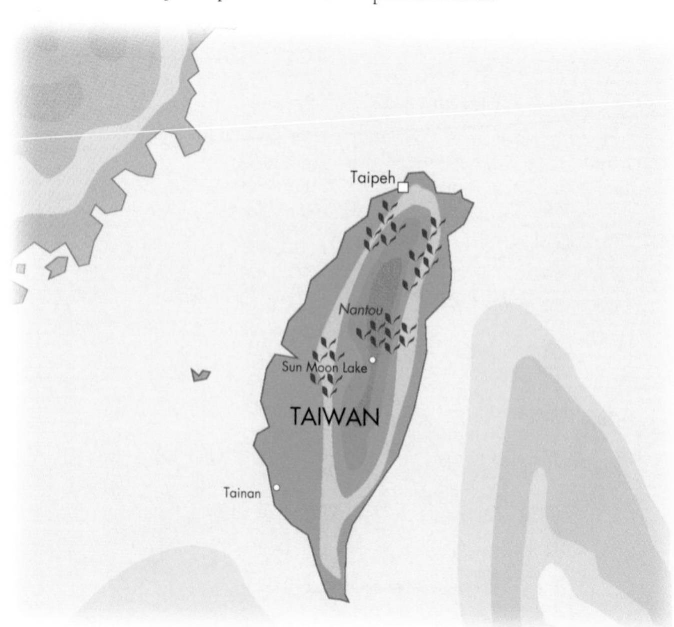

THÉS SEMI-FERMENTÉS

fermentation légère : 10%

BAO ZHONG IMPÉRIAL

☾ ⌛ 5'-7'

Il s'agit de l'un des thés les plus célèbres de Taiwan. Son nom signifie en chinois « emballé dans du papier » et rappelle que ce type de thé, avant de fermenter, est enveloppé dans une feuille de papier de coton blanc pour préserver la délicatesse de ses feuilles. Très beau thé à larges feuilles torsadées, qui donne une liqueur jaune paille, à l'arôme fleuri presque poivré, évoquant le narcisse et le jasmin, et qui allie magistralement verdeur et douceur.

RÉF. 265

THÉS BIO

Le Palais des Thés propose une sélection de thés d'origine issus de l'agriculture biologique. Ceux-ci peuvent être amenés à changer d'une année sur l'autre. Retrouvez-les sur le tarif de l'année en cours.

DIM SUM CHA

Tous les ans, pour fêter la nouvelle récolte de thé, les habitants des montagnes de Taiwan offrent aux personnes qu'elles aiment, Dim Sum Cha, littéralement : « le Thé qui vient du cœur. »

Ce thé est préparé avec les premières feuilles de Bao Zhong, un thé peu fermenté, particulièrement réputé sur l'île, et des boutons de rose cueillis le jour même aux abords des maisons.

Les feuilles de thé et les boutons de rose sont ensuite placés dans de petits paniers en bambou, identiques à ceux utilisés pour la cuisine. Après plusieurs jours, les feuilles de thé encore fraîches s'imprègnent du parfum subtil des boutons de rose.

Dim Sum Cha peut alors être offert à la personne à laquelle il est destiné. Celle-ci pourra préparer, selon l'heure de la journée, un thé légèrement parfumé, ou une infusion de rose.

Dim Sum Cha - Réf. D100

fermentation intermédiaire : 30% à 40%

DONG DING

5'-7'

Ce thé, qui pousse sur la montagne du même nom, signifie « Pic glacé ». Il est considéré par les amateurs comme l'un des meilleurs de Taiwan. La feuille, perlée et moyennement fermentée, donne à la liqueur une couleur particulière, jaune-orangé, unique dans l'univers du thé. Son parfum est à la fois soyeux et vif, son goût rappelle l'aspect fleuri des Wu Long peu fermentés et celui, plus fruité et boisé, des Fancy. Un cru exceptionnel. PHOTO P.15.

RÉF. 264

fermentation très forte : 70% et plus

C'est plus spécifiquement ce type de fermentation qui a fait la célébrité des thés de Taiwan et c'est à ceux-ci que s'applique, à l'origine, le nom de « Wu Long ». On les reconnaît aisément à la couleur brune et à la taille de leur feuille. Ils ont un goût boisé, qui rappelle la noisette et la châtaigne.

GRAND WU LONG TOP FANCY

5'-7'

Le plus célèbre des « Dragons Noirs ». Récolté au printemps, il est très riche en bourgeons dont la saveur de raisin mûr se marie remarquablement aux notes sombres et boisées des feuilles plus basses. D'une très grande subtilité, ce thé, pour exprimer toute sa délicatesse, doit impérativement être préparé dans des conditions parfaites, selon les règles du Gong Fu Cha.

RÉF. 260

Coffret Chine, Taiwan et Viêt-nam.
12 tubes de thés originaires de ces trois pays - Réf. DCMC

Par souci d'authenticité, nous respectons l'appellation de l'origine, ainsi nous adoptons la transcription officielle dite PIN YIN :

Oolong : Wu Long
Tung Ting : Dong Ding
Pouchong : Bao Zhong

BUTTERFLY OF TAIWAN

☾ ⌛ 5'-7'

Superbe thé, délicat et parfumé. Toutes les caractéristiques des Wu Long sont ici bien marquées : boisé et mielleux, rond et long en bouche. C'est le thé à goûter en priorité pour découvrir ces thés typiques de Taiwan. A déguster impérativement nature.

RÉF. 267

FANCY

☾ ⌛ 5'-7'

Très beau Wu Long, sombre et subtil. Plus de force que le précédent.

RÉF. 261

CHOICEST

☾ ⌛ 5'-7'

Doux et aromatique. Convient également très bien en mélange pour adoucir un thé noir.

RÉF. 262

THÉS NOIRS FUMÉS

THÉ DU TIGRE

☾ ⌛ 4'-5'

Le thé qui, par sa puissance, a fait la réputation des thés fumés de Taiwan. La feuille est superbe, la fumigation est faite dans les règles de l'art : au-dessus d'un feu de racines d'épicéas pendant de longues heures. Certainement le plus fumé des thés fumés et aussi l'un des préférés des amateurs.

EN VRAC : RÉF. 271

EN MOUSSELINES : RÉF. D271S

TARRY LAPSANG SOUCHONG

☾ ⌛ 4'-5'

Moins fumé que le Thé du Tigre, il reste cependant plus fort que tous les Lapsang Souchong chinois.

RÉF. 270

L'art chinois : Le Gong Fu Cha

Quotidiennement, les Chinois n'emploient pas de théière, mais préparent le thé dans de petits bols individuels - bols zhong - dans lesquels ils mettent un peu de thé vert et versent dessus de l'eau bouillante. Le bol est recouvert d'un couvercle spécial, qui permet de boire le thé sans avaler de feuilles. Tout au long de la journée, ils font réinfuser plusieurs fois les mêmes feuilles et ne se séparent jamais de leur bol, où qu'ils aillent.

Parallèlement à cette consommation habituelle, il existe un art chinois du thé, le Gong Fu Cha, pratiqué depuis quelques décennies à Taiwan.

C'est sous les Ming que s'est diffusée la pratique du thé infusé, que sont apparues les premières théières, et que la terre de Yi Xing a commencé à être utilisée pour leur fabrication. Boire le thé était alors un acte social et raffiné, qui tentait de retrouver et d'imiter les gestes oubliés de la tradition Song. Cette recherche a donné naissance à un manuel de thé, le *Cha Shu*, qui décrit très précisément chaque étape de la préparation du thé et dont s'est directement inspiré le Gong Fu Cha taiwanais.

Aujourd'hui, l'ensemble de ces règles est observé dans les maisons de thé taiwanaises, où les amateurs se retrouvent dans une ambiance conviviale. Les thés qu'on y déguste sont d'une qualité exceptionnelle, le plus souvent des Wu Long, aux arômes très délicats et longs en bouche, et nécessitent l'utilisation de théières faites dans une terre particulière : la terre de Yi Xing, une ville chinoise située à l'ouest de Shanghai (voir page 58). Parmi les autres accessoires, on retrouve typiquement : la bouilloire, le bateau à thé, sorte de grand plat creux dans lequel seront placées théière et tasses, le pot de réserve, la tasse à sentir et la tasse à déguster.

Comment préparer le thé au Gong Fu Cha ?

- disposer la théière et les deux tasses dans le bateau à thé,
- verser de l'eau chaude dans la théière pour la rincer, puis déverser cette eau dans le pot de réserve,
- mettre le thé dans la théière de façon à la remplir à moitié de feuilles. Rincer ces feuilles avec un peu d'eau pour les hydrater, reverser immédiatement l'eau de rinçage dans le pot,

DÉCOUVREZ L'ART DU GONG FU CHA AVEC L'ECOLE DU THÉ

- verser le contenu de ce pot dans le bateau à thé,
- remplir d'eau la théière à ras bord pour en chasser l'écume. Laisser infuser I minute et verser la liqueur dans le pot,
- remplir avec le pot la tasse à sentir que l'on reverse immédiatement dans la tasse à déguster.

L'amateur inspire alors profondément dans la première pour découvrir le parfum du thé et boit la seconde, lentement et à petites gorgées. L'infusion est renouvelée plusieurs fois selon le même procédé.

Le thé préparé de cette façon est beaucoup plus fort que le thé ordinaire ; il doit être savouré comme une liqueur et bu en très petites quantités. Chaque objet employé, chaque geste exécuté a pour but d'exhaler et d'exprimer les parfums et les arômes du thé, ce qui fait du Gong Fu Cha avant tout un art de la dégustation.

Yi Xing est une ville chinoise située au sud de la province de Jiangsu à 3 heures de train de Shanghai. Elle est très réputée pour sa terre exceptionnelle, que les Chinois appellent communément « argile violette », à cause de la couleur brun violacé qu'elle prend à la cuisson.

Aujourd'hui, 70% de l'activité économique de la ville est liée à l'exploitation et la transformation de cette terre, notamment en théières. La terre de Yi Xing a un taux de fer et de silicium particulièrement élevé, ce qui lui donne des propriétés très intéressantes et la rend nettement supérieure aux autres terres pour obtenir une bonne théière :

- d'une part, elle se contracte très peu, ce qui évite la déformation des objets pendant la cuisson et permet de façonner des théières aux formes maîtrisées,
- d'autre part, sa porosité est très grande, ce qui est excellent pour l'oxygénation du thé et permet aux arômes de s'exprimer mieux que dans tout autre récipient,
- enfin, la terre de Yi Xing, contrairement à la plupart des argiles, n'est pas granuleuse et, par conséquent, véhicule la chaleur moins rapidement que les autres terres : une théière de Yi Xing brûlera moins les mains et ne cassera pas en passant du froid au chaud.

C'est sous la dynastie des Ming (1368-1644), que les Chinois ont commencé à utiliser cette terre pour fabriquer des théières, en même temps que se diffusait la pratique du thé infusé. Les théières ont toujours inspiré les plus

Théière Concubine noire
Réf. M098C

Théière Concubine sable
Réf. M098B

Théière Concubine vert-bronze
Réf. M098D

grands artistes et sont en quelque sorte la vitrine du savoir-faire des potiers de Yi Xing. Elles étaient à l'origine toutes de grande taille (I litre environ) mais on se rendit compte que de petites théières conservaient et exprimaient mieux les parfums du thé : c'est pourquoi certaines théières de Yi Xing ne contienent souvent que l'équivalent d'une ou deux tasses de thé.

En Chine, ce sont traditionnellement les Wu Long, plus rarement les thés noirs ou verts, que l'on fait infuser dans les théières de Yi Xing. Les Japonais, qui en sont les plus gros acheteurs, les réservent aux meilleurs Sencha.

Plusieurs règles doivent être respectées pour préparer un thé dans une théière de Yi Xing :

- ne pas faire infuser trop de thés différents dans la même théière : un thé puissant laissera un goût tenace qui couvrira celui des suivants, s'ils le sont moins,
- le premier thé est réservé à la théière : une théière qui n'a jamais servi absorbe beaucoup la première infusion, elle se culotte. Cette première infusion verra son goût marqué par l'argile, il est donc préférable de ne pas la consommer mais de l'offrir à la théière,
- ne surtout pas utiliser de détergents quels qu'ils soient, la théière absorberait leur goût. Un simple rinçage à l'eau claire entre deux thés est le plus approprié.

Le thé apparaît au Japon sous l'influence de la dynastie chinoise des Tang, au cours du VIIe siècle, mais sa diffusion dans la société japonaise est très lente. Réservé aux moines bouddhistes zen, le thé reste longtemps le privilège des prêtres. Il faut attendre le IXe siècle pour que les premiers théiers soient cultivés, et 1202 pour qu'ils soient plantés dans la province d'Uji, actuellement réputée pour produire les meilleurs thés verts du Japon. Plus tard, le célèbre prêtre zen Sen-no Rikyu (1522-1591) codifie les rapports entre le thé, le bouddhisme et les différentes écoles de thé, donnant ainsi naissance à la forme la plus accomplie du Cha No Yu.

Hormis le Matcha de la cérémonie du thé, le Japon produit aujourd'hui de nombreux thés verts en feuilles entières de très grande qualité, dont la préparation demande des précautions particulières. La délicatesse de la feuille nécessite un bref temps d'infusion et une température de l'eau d'autant plus basse que la qualité du thé est grande.

À la différence de tous les autres thés verts produits dans le monde, les thés verts japonais ne sont pas préparés selon le processus traditionnel chinois, tel que nous l'avons décrit page 14, mais subissent une torréfaction très particulière, à l'aide de vapeur d'eau. Les feuilles, au lieu d'être torréfiées dans un récipient brûlant, sont cuites à l'étuvée pendant quelques instants, ce qui leur donne un aspect luisant et un goût légèrement iodé, immédiatement reconnaissables.

Par cet aspect et cette saveur typiques, les thés verts du Japon suscitent souvent l'étonnement des Occidentaux. Ce sont des thés riches en vitamines et légèrement théinés. Ils se boivent impérativement nature.

GYOKURO

Les Gyokuro sont les thés verts les plus prestigieux produits par le Japon et figurent parmi les thés les plus chers au monde. Ils ne sont récoltés qu'une seule fois par an, et uniquement dans certaines plantations. Quelques semaines avant la cueillette, les planteurs prennent soin de recouvrir les théiers de draps ou de rideaux en paille de bambou, filtrant à 90% les rayons du soleil. Privée de lumière, la feuille de thé s'adoucit et se met à produire beaucoup plus de chlorophylle que si elle était restée en plein air, ce qui donnera au thé une saveur d'une fraîcheur et d'une pureté incomparables.

GYOKURO HIKARI

☀ 🌡 50°C ⧗ 2'-2'30"

« Perle de rosée ». L'un des meilleurs Gyokuro, en provenance de la région d'Uji. Pour ce thé d'exception, les bourgeons les plus tendres ont été sélectionnés à la main, ce qui est très rare au Japon, et roulés très finement un par un. On découvre avec ce thé un goût vif et frais, une délicatesse et une rondeur absolument remarquables, fruits d'un raffinement et d'un luxe de soins dont seuls sont capables les Japonais. Un thé qui ravira les amateurs.
Pour une dégustation optimale, faire infuser 10 g dans 60 ml d'eau à 50°C pendant deux minutes.
PHOTO P.15.
RÉF. 300

Matcha Impérial

☀ 🌡 80°C ⧗ 30"

« Mousse de Jade liquide ». Il s'agit également d'un Gyokuro, cette fois réduit en poudre très fine à l'aide d'une meule en pierre, et destiné essentiellement à la cérémonie japonaise du thé : le Cha No Yu. Battu et non infusé, on le prépare à l'aide d'un fouet dans un bol et non dans une théière. Tonique et puissant, le Matcha Impérial se boit généralement immédiatement après un mets très sucré, afin d'en ressentir toute la subtile amertume. Conseils de dégustation : 1,5 g de thé dans 40 ml d'eau à 80°C. Battre le mélange vigoureusement de façon à obtenir un liquide mousseux, pendant 30 secondes et le boire immédiatement.

RÉF. C230

Sencha

Les Sencha sont des thés verts très répandus au Japon. Leur nom signifie « thé infusé » en japonais. Ils sont produits plusieurs fois par an à partir des meilleures feuilles des théiers. La récolte se fait mécaniquement, technique dans laquelle les Japonais sont parvenus à une certaine précision, qui leur permet d'obtenir des thés de grades différents. Après la torréfaction à la vapeur, les feuilles sont pliées jusqu'à ressembler à de petites aiguilles plates. Selon sa qualité, on préparera un Sencha en faisant varier la quantité de thé, le volume et la température de l'eau, ainsi que la durée de l'infusion.

Ryokucha Midori

☀ 🌡 60°C ⧗ 1'-2'

Le thé des samouraïs. Sa faible teneur en théine et sa richesse en vitamines en font un thé tonique mais non fébrilisant. Le thé idéal de l'effort physique et intellectuel. Son goût est vigoureux, fin et frais. Conseils de dégustation : 6 g de thé dans 180 ml d'eau à 60°C pendant 1 minute 30.

RÉF. 301

Tasse craquelée bleu-ciel
Réf. N046E

Tasse craquelée vert-bronze
Réf. N046D

Tasse craquelée céladon
Réf. N046C

SENCHA ARIAKE

☀ 🌡 70°C ⌛ 1'-2'

Produit par la province de Kyushu, le Sencha Ariake est le plus doux des grandes qualités de Sencha. Très tonique et fleuri, il est très agréable le matin.

Conseils de dégustation : 10 g de thé dans 450 ml d'eau à 70°C, pendant 1 à 2 minutes.
RÉF. 302

SENCHA SUPÉRIEUR

☀ 🌡 90°C ⌛ 2'-3'

Le Sencha le plus consommé au Japon. Puissant et vigoureux, il accompagne très agréablement un repas.
Conseils de dégustation : 10 g de thé dans 450 ml d'eau à 90°C pendant 2 à 3 minutes.
EN VRAC : RÉF. 303
EN MOUSSELINES : RÉF. D303S

FLEUR DE GEISHA

☀ ⌛ 3'

Sencha parfumé à la fleur de cerisier.
RÉF. 309

TAMARYOKUCHA

Les Tamaryokucha sont des thés préparés de la même façon que les Sencha. Simplement, les feuilles sont roulées au lieu d'être pliées, ce qui leur donne davantage de couleur.

TAMARYOKUCHA IMPÉRIAL

☀ 🌡 70°C ⌛ 2'

Remarquable thé vert, dont la feuille, est d'un très beau vert sombre, signe de grande qualité pour ce type de thé. Récolté au printemps, ce thé est plus doux que la plupart des thés verts japonais. Liqueur soyeuse et subtile, infusion parfumée.
RÉF. 299

BANCHA

Les Bancha sont des thés produits avec des feuilles plus basses et plus larges que les Sencha. Le pliage de la feuille est également plus grossier. Ils constituent le gros de la production japonaise et sont consommés sous trois formes différentes : naturels, grillés ou agrémentés de céréales.

BANCHA

☀ ⌛ 3'

Goût frais et délicat.
RÉF. 307

BANCHA HOJICHA

☾ ⏳ 3'

Le Bancha peut être également grillé. C'est une opération simple et les magasins de thé japonais torréfient souvent eux-mêmes leur thé. En grillant, le Bancha prend une teinte brune et un arôme boisé très agréable. Il est excellent pendant les repas, particulièrement avec du poisson. Thé très désaltérant et léger en théine, idéal le soir.

RÉF. 306

GENMAICHA

☀ ⏳ 2'-3'

Encore peu connu en dehors du Japon, il s'agit d'un étonnant mélange de Bancha, de maïs grillé et de riz soufflé. Egalement très désaltérant, il accompagne agréablement un repas salé. A noter : le Genmaicha est aussi délicieux chaud que glacé.

RÉF. 305

Boîte de 125 g de Genmaicha : Réf. DV305B
Boîte vide : Réf. V401B

PAROLE D'EXPERT : HIRO OKANAKA

Directeur du Palais des Thés au Japon

« Cela fait maintenant 10 ans que je développe Le Palais des Thés au Japon. Comme vous le savez, au Japon, nous buvons beaucoup de thé - surtout du thé vert. Nous apprécions aussi beaucoup ceux du Palais des Thés. Bien sûr, nous savons bien que le thé ne pousse pas en France. En revanche, la France est le pays le plus réputé pour son art de vivre. Et nos clients pourront vous expliquer qu'acheter des thés sélectionnés par des Français est pour eux un gage de qualité, de raffinement gastronomique. Au Japon, la gastronomie française n'est pas un vain mot. Elle ne se cantonne pas pour nous au savoir-faire, mais elle s'étend au savoir acheter, au savoir choisir. De ce point de vue, le travail des acheteurs du Palais des Thés est tout a fait remarquable. Je pense sincèrement que nous avons une des meilleures sélections au monde. Sans même parler des thés et des mélanges parfumés, domaine dans lequel l'art du Palais des Thés est ici proverbial. . . »

RARETÉ

AMA CHA

⏳ 3'-6'

« Thé du Bouddha ». Thé rarissime dont le parfum, le goût et l'arrière-goût sont très différents les uns des autres : si l'on retrouve un parfum de mousse, le goût, lui, est nettement sucré et boisé, et l'arrière-goût, persistant, fait songer au réglisse.

RÉF. 304

LA CÉRÉMONIE JAPONAISE : LE CH

Le thé a, au Japon, une dimension cultuelle très forte. Plus qu'un art de vivre, c'est un culte fondé sur l'admiration du Beau parmi les vulgarités de l'existence quotidienne. Cette philosophie se traduit sous la forme d'une cérémonie, extrêmement codifiée, qui se déroule dans un lieu précis et dont chaque geste doit être soigneusement observé.

Dans un pavillon, généralement situé dans un endroit ombragé du jardin et réservé à cet usage, qui comprend une chambre de thé et une salle de préparation, cinq personnes au maximum participent à la cérémonie. Plus petit que les maisons traditionnelles, ce pavillon doit donner l'impression d'une pauvreté raffinée, le dépouillement étant pour les Japonais l'expression de la beauté véritable.

Développé vers la fin du XVe siècle sous l'influence du Bouddhisme zen, ce cérémonial philosophique invite l'homme à se purifier en s'unissant à la nature. C'est pourquoi, l'allée qui mène au pavillon passe au milieu des arbres et des fleurs et permet au visiteur d'accéder au premier stade de la méditation. Rien n'est d'ailleurs laissé au hasard : décor, mets, sujets de conversation, etc. Un grand respect est porté aux « geishas » qui maîtrisent parfaitement le moindre détail de la cérémonie.

Au départ, une collation légère est servie et est suivie d'une courte pause. Vient ensuite le « Goza Iri », moment central de la cérémonie, au cours duquel est d'abord servi un thé épais, « Koïcha », puis un thé léger, « Usucha ». Diverses purifications et civilités d'usage ont lieu jusqu'à ce que l'hôte frappe cinq coups sur un gong. Après une suite de gestes minutieux, il verse trois cuillérées de Matcha par invité dans un bol, puise une louche d'eau chaude et bat la mixture avec un fouet en bambou jusqu'à obtenir un liquide épais. Le bol est posé près du foyer et l'invité d'honneur s'approche à genoux. Il boit alors trois gorgées et, après la première, formule des compliments sur le goût du thé. Ensuite, il essuie l'endroit touché par ses lèvres avec le papier Kaishi, qu'il a amené avec lui, et passe le bol au second invité, qui procède de même et ainsi de suite. Le dernier rend le bol au premier qui le tend à l'hôte.

Les différentes phases du Cha No Yu ont été prépondérantes dans le développement de l'architecture, de la science des jardins, des aménagements paysagers, de la porcelaine ou de l'art floral japonais. Chaque étape implique en effet une adhésion esthétique dans des domaines très divers. Il s'agit, par exemple, d'apprécier les ustensiles nécessaires à la cérémonie : le bol, la boîte, la louche, le fouet, souvent de véritables objets d'art. Mais de savoir également goûter les décorations prévues, telles que le Kakemono, peinture verticale sur rouleau, le Chabana, arrangement de fleurs conçu pour la circonstance, ou encore l'harmonie des pentes des toits de la chambre de thé.

Par ailleurs l'étiquette minutieuse observée lors de la cérémonie a influencé fondamentalement le savoir-vivre japonais. S'intéresser à cet art séculaire, destiné à donner grâce et manières raffinées à ceux qui l'observent, est une des clés d'accès à la compréhension de la société japonaise.

PARTICIPEZ À LA CÉRÉMONIE JAPONAISE AVEC L'ÉCOLE DU THÉ

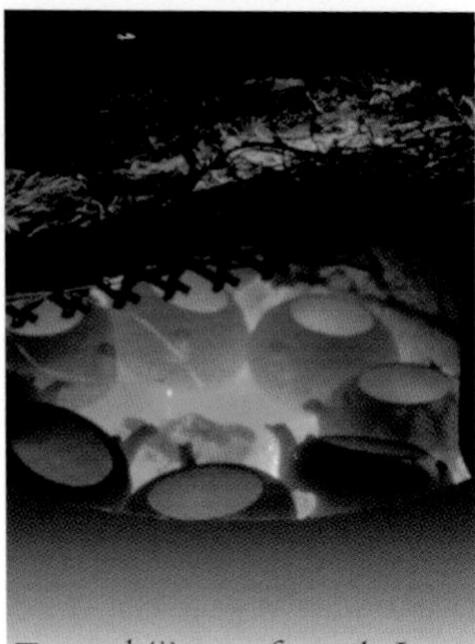

Les théières en fonte du Japon sont originaires de la région de Iwate, située au nord-est de Honshu. Elles sont fabriquées artisanalement, selon des techniques séculaires qui remontent au XIIe siècle.

A cette époque, sous l'impulsion de Nambu Toshinao, seigneur féodal du district de Nambu (l'ancien nom de Iwate), des artisans commencèrent à exploiter le minerai de fer de la région et à créer des objets en fonte, destinés notamment à la préparation du thé. Rapidement leur talent dépassa les frontières du district et des commandes affluèrent de tout le Japon. Depuis, le succès des bouilloires et des braseros en fonte de Nambu ne s'est jamais démenti.

Au fil des siècles, de nombreux artistes se sont illustrés dans la création d'objets en fonte, constituant ainsi un patrimoine exceptionnel, aux multiples sources d'inspiration. Aujourd'hui, des modèles très anciens sont toujours fabriqués et côtoient les créations les plus récentes des grands designers japonais.

L'apparition de théières en fonte est plus récente et correspond en fait à une utilisation détournée qu'ont faite les Occidentaux des bouilloires traditionnelles.

Conseils d'entretien

Pour entretenir la théière et lui conserver ses qualités et sa beauté, il est conseillé de suivre les instructions suivantes :

- après avoir utilisé la théière, la rincer à l'eau chaude et bannir l'utilisation de détergent,
- essuyer les parois extérieures quand elles sont encore chaudes,

Théière Nambugata, 0,65 l
Réf. M162

Théière Itome, 0,50 l
Réf. M070

Théière Matsuba, 0,65 l
Réf. M161

• ne jamais frotter la théière avec un objet abrasif (éponge, « Scotch Brite », etc.) mais l'essuyer avec un chiffon doux,
• toujours laisser sécher l'intérieur de la théière à l'air libre sans le couvercle,
• ne jamais laisser d'eau ou de thé trop longtemps dans la théière,
• pour éviter les tâches et les auréoles, ne jamais laisser d'eau ou de thé sur les parois de la théière,
• avant de ranger la théière, vérifier qu'elle est parfaitement sèche (intérieur comme extérieur) et, si possible, la séparer de son couvercle.

La fonte, avant d'être traitée, est un métal noir. Par différentes opérations, on peut en colorer la surface avec des pigments de couleurs variées. Avec le temps, ces pigments peuvent s'estomper légèrement et donner à la théière une belle teinte patinée. Pour limiter les effets de cette patine naturelle, mieux vaut maintenir la théière à l'écart de tout détergent, corps gras, humidité ou source de chaleur directe.

La fonte est un alliage à base de fer. Traditionnellement, les Japonais laissent leurs théières rouiller, ce qui est sans aucun danger pour la santé et constitue, au contraire, un apport en fer supplémentaire à leur alimentation. En revanche la plupart des modèles importés en Occident sont vernissés afin d'éviter ce type d'oxydation. Les parois intérieures des théières sont donc protégées avec un vernis alimentaire, qui les empêche d'être poreuses et de se culotter.

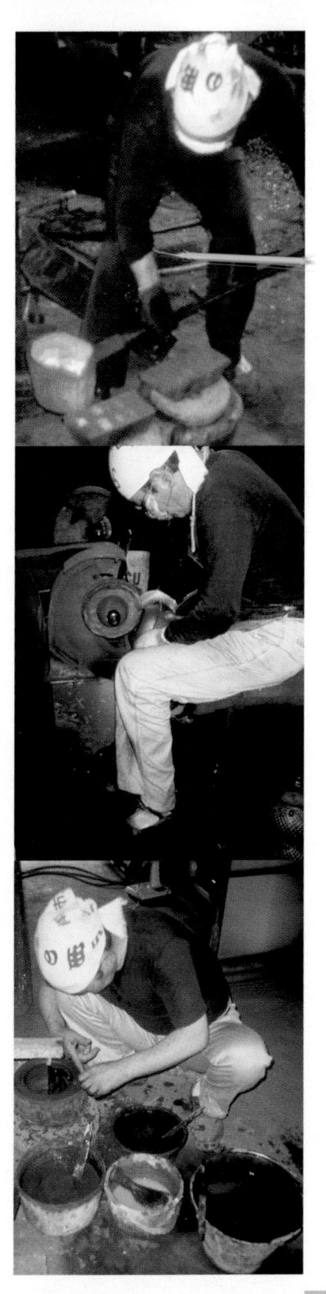

L'Inde est le plus gros producteur de thé, et représente à elle seule près du tiers de la production mondiale.
Les thés d'Inde sont très différents les uns des autres. D'une part, parce que d'une région à l'autre, les conditions climatiques et le relief sont très variables : régions de montagnes, de plateaux ou de plaines ; d'autre part, parce que les plantations ne sont pas toutes constituées des mêmes types de théiers : *camelia assamica* en Assam, *camelias sinensis* dans le sud de l'Inde, présence des deux variétés dans les jardins de Darjeeling, hybridation, etc.

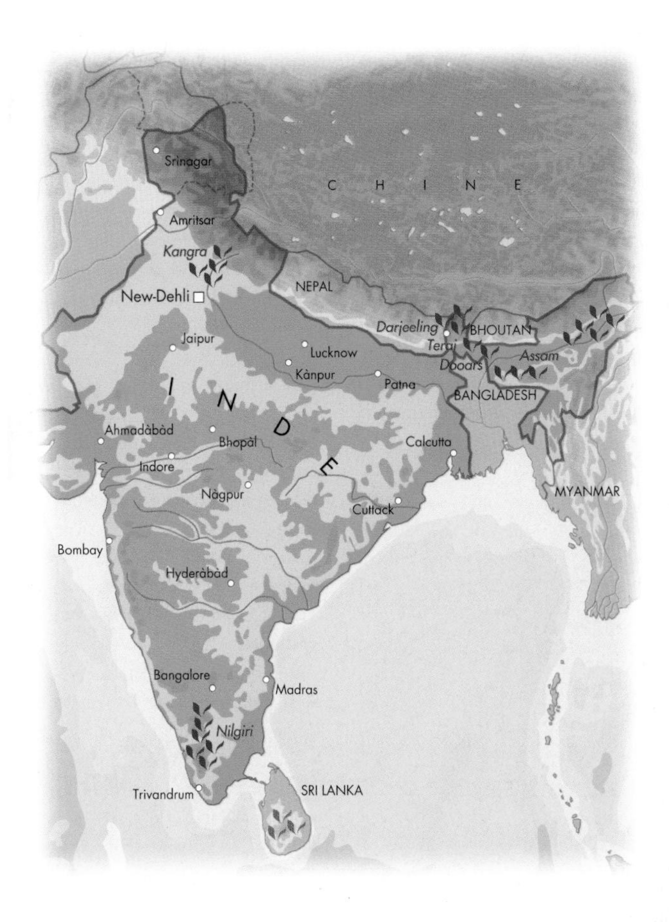

DARJEELING

Les Darjeeling sont des thés d'altitude, cultivés dans les plantations, situées entre 400 et 2500 mètres d'altitude, sur les contreforts de l'Himalaya, aux environs de Darjeeling, une ville relativement importante, réputée pour la fraîcheur et la pureté de son climat. Le premier jardin fut créé en 1856 par les Anglais : Tukvar devenu depuis Puttabong et North Tukvar. La qualité des thés obtenus et le succès qu'ils remportèrent incitèrent à créer rapidement d'autres jardins : Dooteriah en 1859, Ging, Ambootia, Tukdah, Phoobsering entre 1860 et 1864, Badamtam, Makaibari un peu plus tard.

L'essor de Darjeeling fut extrêmement rapide et il existe aujourd'hui plus de 90 jardins. Longtemps, 61 d'entre eux ont été classés en trois catégories, en fonction notamment de leur altitude. Si ces catégories ont pu avoir une signification en terme de prestige et de notoriété, elles n'ont aujourd'hui plus vraiment de sens, tant la qualité des récoltes s'est améliorée dans tous les jardins, et dépend autant de l'altitude à laquelle se trouve la plantation que des compétences du planteur qui se trouve à sa tête.

Le Darjeeling, à cause de son prix très élevé, est un thé réservé à l'exportation. Il est vendu sous deux formes :

- en « blend » : mélange de différents jardins, désigné par l'appellation générique « Darjeeling ».
- en caisses d'origine pour les cueillettes plus fines et plus rares, qui sont alors dûment tracées : nom du jardin, grade, période de récolte sont précisés.

Le Darjeeling est un des thés les plus prestigieux au monde. Sa saveur et son parfum peuvent être extrêmement différents d'une récolte à l'autre et d'un jardin à l'autre. Cela dépend :

- du moment de la récolte (printemps, été, automne, mousson),
- de la façon dont la cueillette est pratiquée,
- des conditions climatiques,
- de l'altitude et de l'orientation du jardin par rapport au soleil,
- de la répartition des théiers de la plantation : originaires de Chine, d'Assam, clonal, etc.
- du sol de la plantation, un peu comme les cépages pour le vin.

récolte de printemps

Première des cinq récoltes de l'année, la récolte de printemps de Darjeeling se déroule habituellement de fin février à fin avril. C'est un événement attendu par les amateurs du monde entier car, produits en quantités très limitées, les Darjeeling de printemps sont des thés rares, d'une très grande richesse aromatique, et dont la finesse leur a valu le surnom de « Champagne du thé ».

Récolte de Printemps
Namring Upper

Pendant tout l'hiver, le théier a été laissé au repos et ses pousses se sont chargées en huiles essentielles. Les toutes premières cueillettes de l'année contiennent une très grande proportion de ces jeunes pousses, appelées « golden tips », et sont d'un grade souvent très élevé. On reconnaît aisément les Darjeeling de printemps à la teinte verte que prend la feuille à l'infusion. Jeunes et légers, leur bouquet est frais et vif.

Récolte d'été
Selimbong - Réf. 0175

Plus que toute autre, la récolte de printemps est déterminée par les conditions climatiques qui précèdent la cueillette : la qualité, la saveur des thés en dépendent étroitement et un même jardin pourra donner des thés très différents d'une année sur l'autre. Chaque année, les experts du Palais des Thés se rendent donc à Darjeeling pour déguster la production de chaque jardin et opérer une sélection parmi les meilleurs, qu'ils

Récolte d'Automne
Oaks - Réf. 030

expédient ensuite vers la France. Cette sélection est souvent disponible dès le mois de mars pour les thés expédiés par avion, à partir de mai-juin pour ceux arrivant par bateau.

Leur finesse et leur fraîcheur font des Darjeeling de printemps des thés très fragiles, qui vieillissent mal. Pour être dégustés au meilleur de leur qualité, il est donc conseillé de les boire « primeurs », c'est-à-dire dans les neuf à douze mois qui suivent la cueillette. Pour apprécier pleinement leur richesse, vous les ferez infuser dans une eau de source, légèrement frémissante, pendant 2 à 3 minutes.

Retrouvez la liste des Darjeeling de printemps dans le tarif de l'année en cours.

récolte intermédiaire

C'est une cueillette assez rare, effectuée début mai dans certains jardins, et qui marie la verdeur des récoltes de printemps à la rondeur des récoltes d'été.

GIELLE F.T.G.F.O.P.

⌛3'-4'

Très beau thé, caractéristique des quelques récoltes intermédiaires produites chaque année par l'Inde.

PHOTO P.15.

RÉF. 017

récolte d'été

Cette cueillette est effectuée entre mai et juin, pendant la saison chaude qui précède la mousson. La feuille est plus sombre que celle des récoltes de printemps ; elle est de couleur brune et de petite taille. Son infusion est brillante et cuivrée, au bouquet puissant.

La liqueur, dorée et ronde, est plus corsée que pour les récoltes de printemps. Egalement très aromatique et relativement astringente, elle est longue en bouche et a souvent un goût de fruit mûr. Ce sont des thés que l'on peut faire infuser de 3 à 5 minutes selon les goûts et selon la quantité de feuilles que l'on fait infuser. Pour obtenir un thé plus parfumé, il est possible d'augmenter cette quantité par rapport au volume d'eau, tout en diminuant la durée d'infusion.

SELIMBONG F.T.G.F.O.P.1

⌛3'-5'

Superbe récolte d'été d'un grand jardin de Darjeeling dont la production est une des plus difficiles à obtenir, en raison de la très petite superficie du jardin et de la finesse de la cueillette. Petite feuille sombre comportant beaucoup de bourgeons. Infusion ambrée, liqueur subtile, légèrement muscadée, fleurie et pleine en bouche. PHOTO P.73.

RÉF. 0175

PUTTABONG F.T.G.F.O.P.

⌛3'-5'

Un jardin prestigieux, le plus ancien de Darjeeling, réputé pour ses cueillettes très riches en bourgeons. La récolte d'été donne une infusion sombre, une liqueur profonde et ambrée, avec beaucoup de corps. Son goût, corsé et boisé, en fait un thé idéal le matin.

RÉF. 021

CASTLETON F.T.G.F.O.P.

⌛3'-5'

Un des jardins les plus réputés de Darjeeling, dont la production est d'une grande régularité. Fin et charpenté, ce thé développe à la tasse des notes aromatiques complexes : à la fois fleuries et boisées. Bon équilibre des deux caractères. Un thé pour toute la journée.

RÉF. 022

MARGARET'S HOPE F.T.G.F.O.P.

⌛3'-5'

Fruité avec beaucoup de caractère. Particularité : tonique et sombre, en raison de la proportion plus importante de théiers d'Assam (80%) que de théiers de Chine dans la plantation, ce qui est peu fréquent à Darjeeling. C'est pourquoi c'est un thé recherché, que les amateurs de Darjeeling trouvent idéal le matin.

EN VRAC : RÉF. 018

EN BOITE MÉTAL (100 G) : DV018

EN MOUSSELINES : RÉF. D018S

BANNOCKBURN T.G.F.O.P.

⌛3'-5'

Bouquet fruité et légèrement boisé. Thé à la fois puissant et moelleux. Proche du Castleton, dans une cueillette moins fine. Bon thé pour toute la journée.
RÉF. 019

MAKAIBARI T.G.F.O.P.

⌛3'-5'

Cueillette très soignée et riche en bourgeons. Très bon thé d'après-midi aux arômes fleuris bien développés. Le jardin de Makaibari se distingue des autres par son souci de n'utiliser que des produits naturels.
RÉF. 020

HAPPY VALLEY G.F.O.P.

⌛3'-5'

Goût de muscat. Thé léger d'après-midi.
RÉF. 023

TUKDAH G.F.O.P.

⌛3'-5'

Thé corsé, idéal pour le matin. Un arrière-goût boisé s'ajoute à la note habituellement fruitée des récoltes d'été.
RÉF. 025

HIGH BLEND G.F.O.P.

⌛3'-5'

Un mélange des grands jardins. Infusion ambrée, douce et fleurie.
RÉF. 027

PHUGURI T.G.B.O.P.

⌛2'-5'

Superbe thé brisé d'un grand jardin. Peut se boire avec du lait.
RÉF. 028

récolte de la mousson

Produit de juillet à septembre, le thé de mousson est de moindre qualité que ceux des autres récoltes. Il souffre, en effet, du manque de soleil.

récolte d'automne

Cette cueillette donne des thés à larges feuilles. La liqueur est plus sombre que celle d'une deuxième récolte et l'arôme plus puissant.

OAKS F.T.G.F.O.P.

⌛3'-5'

Pour toute la journée. PHOTO P.73
RÉF. 030

■ mélanges de Darjeeling

HIMALAYA BLEND F.O.P.

⌛ 3'-5'

Un mélange des trois récoltes. Un bon thé de base pour les mélanges personnalisés.

RÉF. 038

■ Darjeeling semi-fermenté

Les thés semi-fermentés sont une spécialité de Taiwan et du Fujian en Chine. Il est très rare que d'autres pays en produisent.

DARJEELING WU LONG

☾ ⌛ 5'-7'

Mariage réussi des deux caractères : celui, boisé, des Wu Long et celui, plus vigoureux et aromatique, des Darjeeling. Recherché par les amateurs de thés rares, ce Darjeeling a l'avantage d'être faible en théine.

RÉF. 045

■ Darjeeling vert

Traditionnel en Chine et au Japon, le thé non-fermenté reste une rareté en Inde du Nord.

THÉ DES SHERPAS T.G.F.O.P.

☀ ⌛ 3'

Thé vert avec de nombreux bourgeons. Frais et parfumé, son goût rappelle la châtaigne cuite.

RÉF. 046

THÉ DES MOINES

Inspiré d'une recette ancestrale élaborée dans un monastère tibétain, le Thé des Moines est un mélange rare, à la saveur unique.
Au Tibet, la légende raconte qu'une communauté de moines préparait dans le plus grand secret un mélange de thé, de plantes et de fleurs. Après quelques jours de macération, les feuilles de thé étaient soigneusement triées et mises de côté. Par cette mystérieuse alchimie, les moines changeaient le thé en or et donnaient au Thé des Moines son parfum exceptionnel.
Le précieux thé était ensuite stocké dans de petits pots en terre fermés par une corde de bure. Ainsi protégé, le Thé des Moines pouvait être conservé pendant de longs mois tout en gardant son envoûtant parfum.

Pot de Thé des Moines
brun, sable ou noir
Réf. D898P (B, J ou N)

ASSAM

La province d'Assam est située au nord-est de l'Inde, à l'est de Darjeeling entre le Bangladesh, le Myanmar (Mongolie) et la Chine. C'est une région de faible altitude, traversée par le Brahmapoutre et ses affluents, qui était, jusqu'au début du XXe siècle, recouverte par la forêt tropicale. Très fertile, elle produit plus de la moitié des thés de l'Inde. Le régime de pluies est analogue à celui subi à Darjeeling (saison sèche de novembre à janvier et pluies d'avril à septembre), mais est beaucoup plus important. Il y a deux récoltes possibles, sachant que la récolte de printemps n'a lieu que très rarement. L'essentiel de la production est réalisé d'avril à octobre.

Les thés d'Assam sont des thés vigoureux, épicés, tanniques et astringents, typiques de ce qu'on appelle le « goût britannique ». L'infusion est généreuse et très foncée ; la liqueur, sombre et puissante, supporte parfois un peu de lait.

Ce sont des thés qui entrent dans tous les mélanges corsés du matin (voir Mélanges traditionnels anglais page 102) et qui, non mélangés, doivent être vendus sous leur appellation d'origine, c'est-à-dire sous le nom du jardin producteur.

récolte de printemps

ASSAM TOONBARI T.G.F.O.P.

⌛ 4'

Plus léger que les autres Assam, ce thé récolté en mars est assez délicat. Petite feuille, riche en bourgeons. Liqueur claire, goût doux et fleuri.

RÉF. 049

récolte d'été, feuille entière

MAIJIAN T.G.F.O.P.

⌛ 3'-4'

Un des meilleurs Assam. Ce thé, remarquable par la taille de sa feuille et sa richesse en bourgeons dorés, donne une liqueur ambrée, au parfum soutenu. D'une très grande finesse, la tasse est fleurie et longue en bouche.

RÉF. 052

HATTIALI T.G.F.O.P.

3'-4'

Très bel Assam à grande feuille, riche en bourgeons. Son arôme est prononcé et très épicé. Sa liqueur, sombre et corsée, en fait un Assam de très grande qualité, idéal pour le matin.
RÉF. 053

BHOOTEACHANG T.G.F.O.P.

3'-4'

Beaucoup de golden tips. Un thé légèrement corsé et bien équilibré, dont l'arôme fin et muscadé est assez original pour un Assam.
RÉF. 055

BAZALONI T.G.F.O.P.

3'-4'

Le plus puissant des Assam à feuilles entières. Son goût poivré en fait le thé « anglais » par excellence.
RÉF. 054

JAIPUR T.G.F.O.P.

3'-4'

Riche en bourgeons, à la fois doux et aromatique, légèrement astringent.
RÉF. 056

THÉS BIO

Le Palais des Thés propose une sélection de thés d'origine issus de l'agriculture biologique. Ceux-ci peuvent être amenés à changer d'une année sur l'autre. Retrouvez-les sur le tarif de l'année en cours.

BORBUDI T.G.F.O.P.

3'-4'

L'Assam le plus léger, convient l'après-midi.
RÉF. 058

récolte d'été, feuille brisée

HAJUA F.T.G.B.O.P.

2'-4'

Le plus riche en bourgeons des Assam à feuilles brisées.
RÉF. 062

MIJCAJAN G.B.O.P.

2'-4'

Un thé « à l'anglaise », puissant et aromatique.
RÉF. 064

Coffret Inde, Népal et Sri Lanka,
12 tubes de thés originaires de ces trois pays - Réf. DCMI

PAROLE D'EXPERT : ANIL DHARMAPALAN

Directeur de la plantation de Thiashola

« Je dirige Thiashola depuis de nombreuses années. Ma plantation produit surtout des thés brisés pour le marché local. Pourtant, nous avons une tradition à Thiashola, nous offrons un thé en feuille entière aux invités qui séjournent dans la plantation.
J'ai rencontré l'équipe du Palais des Thés en 1999, elle faisait un voyage de prospection dans les montagnes de Nilgiri, et Thiashola était une des étapes de son parcours. Je crois que François-Xavier Delmas a vraiment été séduit par notre feuille entière. Il m'a d'ailleurs très vite demandé s'il était possible de l'acheter en quantité importante, pour la faire découvrir à ses clients. Depuis, nous avons consacré une parcelle de théiers plus grande à la culture du Thiashola ' Carrington ' et nous avons toujours plaisir à produire ce thé des invités pour nos amis du Palais des Thés. »

NILGIRI

Située au sud de l'Inde, la région de Nilgiri est la deuxième région productrice de thé après l'Assam. Cette région de plateaux, de la même altitude que ceux du Sri Lanka, offre des thés dont la feuille, régulière, et la liqueur, ronde et corsée, rappellent les thés du Sri Lanka.

THIASHOLA « CARRINGTON » S.F.T.G.F.O.P.1

4'-5'

Une superbe feuille qui donne un thé rond et moelleux, fruité et aromatique, digne des meilleurs thés d'altitude du sous-continent. Une récolte exceptionnelle, réservée aux invités de la plantation, dont Le Palais des Thés a pu obtenir quelques caisses.

RÉF. 195

Boîte de 125 g de Thiashola « Carrington » : Réf. DV195C
Boîte vide : Réf. V401C

THIASHOLA F.B.O.P.

3'-5'

Un des meilleurs thés noirs brisés.

RÉF. 196

TIGER HILL O.P.

4'-5'

Rond et corsé.

RÉF. 191

Dooars

Région située à l'ouest de l'Assam, dont les thés sont particulièrement aromatiques et colorés. Ils ne sont pas sans évoquer certains Darjeeling d'été, dont ils allient la rondeur à la force de l'Assam.

Sylee G.F.O.P.

⌛4'-5'

Thé corsé et astringent, goût boisé.
RÉF. 070

Kangra

Située au sud du Kashmir, la vallée de Kangra donne un thé puissant et aromatique.

Himalayan T.G.F.O.P.

⌛4'-5'

RÉF. 085

Terai

Thé de plaine dont les plantations sont situées au sud de Darjeeling, à une altitude d'environ 300 mètres. L'infusion est bien colorée, la liqueur, puissante et constante.

Kamala T.G.F.O.P.

⌛4'-5'

Sombre et puissant. Thé recherché par tous ceux qui font leur mélange eux-mêmes.
RÉF. 075

Le Chai

En Inde, l'introduction du thé par les Anglais et la découverte de théiers sauvages en Assam datent du début du XIXe siècle. Produit à l'origine pour le marché britannique, le thé est peu à peu devenu une boisson très populaire dans toute la société indienne. Si certaines castes continuent à le préparer selon un rituel typiquement anglais, le thé consommé quotidiennement par la grande majorité des Indiens est un surprenant mélange de thé noir, d'épices et de sucre, infusé dans du lait entier bouillant : le Chai, que l'on prononce « tchaï ». Les épices utilisées diffèrent selon les régions et les foyers. Les plus courantes sont la cardamome, la cannelle, le gingembre, le clou de girofle, le poivre, le macis et la muscade.

Les « Chaïwallah », les marchands ambulants de thé, sont des personnages omniprésents que l'on retrouve à chaque coin de rue, sur chaque place, mais aussi dans les trains, les transports publics...

Chai - Réf. 770

En 1972, l'île de Ceylan prend le nom de Sri Lanka, mais cette appellation, datant de l'Empire britannique, est restée en usage dans l'univers du thé et il est fréquent de parler d'un Ceylan pour désigner un thé de ce pays. Troisième producteur mondial, le Sri Lanka, surnommé l'île du thé, fournit plus de la moitié du thé noir consommé en France. Introduit par les Anglais en 1857, le théier ne s'y développe vraiment qu'après 1870 : c'est effectivement à la destruction totale des plantations de caféiers qui recouvraient toute l'île, par un parasite en 1869, que l'on doit l'essor de la culture du thé au Sri Lanka.

Les thés du Sri Lanka proviennent de six régions de production, situées au sud de l'île, et poussent à des altitudes allant du niveau de la mer jusqu'à 2500 mètres.

Les périodes de cueillette varient d'une région à l'autre, selon le passage de la mousson dans l'année.

On reconnaît un thé du Sri Lanka à sa superbe couleur cuivrée et à son parfum vif et piquant. Quant à son goût, il est sensiblement différent d'une région à l'autre, les thés d'altitude étant bien souvent les meilleurs.

Comme en Inde, la culture du thé est organisée en jardins, dont le nom est précisé chaque fois que le thé provient exclusivement de l'un d'entre eux, sans avoir été mélangé avec d'autres thés.

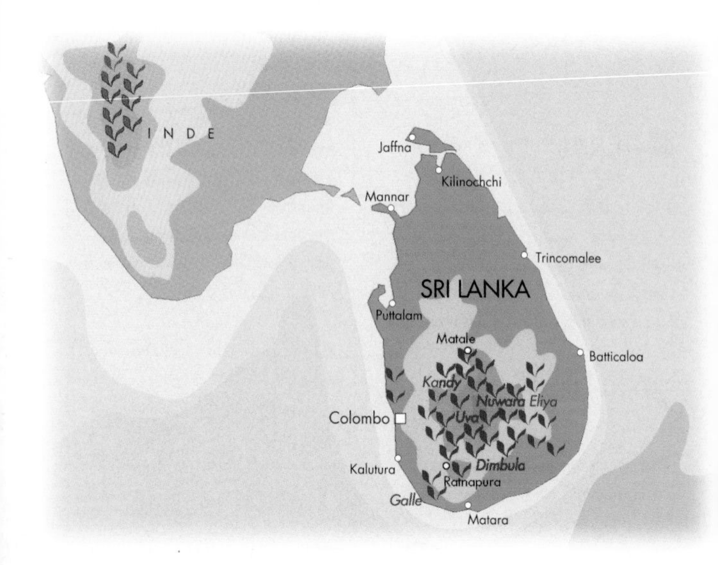

DISTRICT DE NUWARA ELIYA

Région d'altitude peu touchée par la mousson, dont la récolte a lieu, pour la meilleure qualité, de février à avril. On reconnaît les thés qui en sont originaires à la couleur bronze que prennent les feuilles à l'infusion. La liqueur est très claire et ambrée, et son goût, fleuri, évoque le jasmin.

SAM BODHI F.O.P.

⌛3'-5'

Un des plus beaux thés de ce district. Très riche en bourgeons, son infusion est sombre et donne une liqueur ronde et bien fleurie.

RÉF. 101

DISTRICT D'UVA

Une région d'altitude intermédiaire, marquée par sa saison de vents secs (juin à septembre), qui confère aux thés des Uva leurs principales caractéristiques : infusion cuivrée, thés moelleux et aromatiques au goût rond, mais moins corsé que les autres thés du Sri Lanka.

NELUWA O.P.

 ⌛4'-5'

Thé d'altitude parmi les plus beaux du Sri Lanka. A la fois sombre et aromatique. Liqueur veloutée.

RÉF. 104

SAINT-JAMES O.P.

⌛4'-5'

Grand jardin prestigieux, dont la réputation a fait le tour du monde. Infusion légère et cuivrée, goût presque chocolaté.
Ce thé est également disponible en mousselines.

EN VRAC : RÉF. 111

EN MOUSSELINES : RÉF. D111S

BOMBAGALLA P.

⌛4-5'

Un superbe Pekoe au goût corsé et boisé.

RÉF. 126

SAINT-JAMES B.O.P.

⌛3'-5'

Remarquable thé brisé issu du jardin cité plus haut. Astringent et fruité, il supporte un nuage de lait.

RÉF. 121

SAINT-JAMES FANNINGS F.

⌛2'-5'

Thé broyé pour le petit déjeuner, avec du lait.

RÉF. 180

District de Dimbula

Autour de Dimbula, la région est arrosée par la mousson de juin à septembre et la récolte a lieu de janvier à mi-mars. Les thés sont corsés et astringents. Ils donnent une infusion brun clair et une liqueur foncée.

Pettiagalla O.P.

⏳4'-5'

Grand thé d'altitude. Superbe feuille très régulière. Un des meilleurs Orange Pekoe du district. Riche en arômes et corsé.
RÉF. 114

Kenilworth O.P.

⏳4'-5'

Jardin réputé pour ses O.P. aux feuilles longues et très régulières. Liqueur légèrement corsée.
RÉF. 110

District de Kandy

Région de basse altitude, elle produit des thés de bonne qualité, corsés et astringents.

Kallebocka F.O.P.

⏳4'-5'

Thé d'après-midi, puissant et malté.
RÉF. 102

District de Galle

Ce district, situé au sud de l'île, est réputé pour ses Orange Pekoe, aux feuilles très travaillées et très régulières. L'arôme en est puissant et long en bouche.

Galaboda O.P.

⏳4'-5'

Corsé et légèrement astringent, un superbe Orange Pekoe pour le matin.
RÉF. 106

Mélanges

Ceylan strong breakfast

⏳3'-5'

Thé très corsé pour le matin.
RÉF. 190

Népal

Royaume himalayen indépendant, le Népal produit un thé très voisin du Darjeeling par son aspect, son arôme et son goût de fruit mûr.

Ilam T.G.F.O.P.

3'-5'

Très beau thé, fleuri et légèrement astringent. Il est plus sombre qu'un Darjeeling d'été.

RÉF. 090

Temi T.G.F.O.P.

3'-5'

Un remarquable jardin. Aussi fleuri mais plus puissant qu'un Darjeeling d'été. A découvrir. Convient très bien le matin.

RÉF. 080

Sikkim

Ce petit état himalayen donne un thé fin et aromatique, très voisin des meilleurs Darjeeling, dont il est géographiquement proche.

Bangladesh

Proche de l'Assam, le thé du Bangladesh pousse au nord du pays, à la frontière indienne. Coloré et aromatique, il supporte un peu de lait.

Bangladesh T.G.F.O.P.

4'-5'

Belle feuille entière pour la journée. Doux et ambré.

RÉF. 095

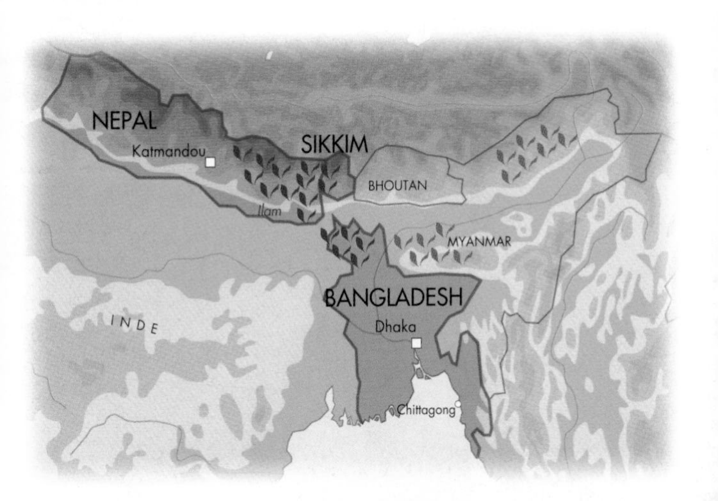

De la Mer Noire à la Mer Caspienne

Arrivé dans cette région par différentes routes, le thé fut d'abord un produit de consommation que l'on faisait venir de loin avant de faire l'objet, bien plus tard, d'une mise en culture. C'est surtout grâce aux Mongols et aux marchands de la Route de la soie que le thé parvint chez les Russes, les Turcs, les Perses, mais aussi chez les Kirghiz, les Turkmènes et les Ouzbeks... Vers la fin du XIXe siècle et au début du XXe, on réussit, après de nombreuses tentatives, à pratiquer la culture du thé dans les massifs montagneux situés entre la Mer Noire et la Mer Caspienne. Spécialistes du thé noir préparé dans un samovar, l'Iran, la Turquie et la CEI produisent en grande partie pour leur propre consommation. L'ex-URSS, avec ses plantations situées en Géorgie a été, par le passé, le cinquième producteur mondial. On se gardera de confondre les thés de ce pays, parfois qualifiés de « thés à la russe » à cause de leur usage en samovar, avec les « Goûts Russes », appellation désignant des mélanges de thés noirs chinois, parfumés ou non, et qui furent mis à la mode par la cour de Russie à la fin du XIXe siècle. (Voir page 109).

TURQUIE

Comme dans de nombreux pays de cette région, la consommation du thé a précédé sa culture, et c'est au XVIe siècle que cette boisson fut introduite à la cour ottomane. La culture, quant à elle, débuta dans les années 1920, à partir de graines provenant de l'Union soviétique. Les plantations occupent la côte sud de la Mer Noire entre Rize et Trabzon et sont souvent de petite taille : on y pratique plutôt une culture de coopérative. La Turquie est le sixième producteur mondial de thé, sa production couvrant sa propre consommation et lui permettant d'exporter un peu. Le thé à la turque, préparé en samovar, est le plus souvent servi nature, mais peut être également agrémenté de pignons ou de graines de cardamome. Il accompagne délicieusement les loukoums, cornes de gazelle et autres pâtisseries orientales.

BAS-CAUCASE B.O.P.

⌛3'-5'

Thé parfumé et aromatique, pour l'après-midi. Bon thé de samovar.
RÉF. 410

GÉORGIE

Rare pays, avec le Japon, à avoir mécanisé la récolte du thé, la Géorgie figure parmi les petits pays producteurs. Les théiers, cultivés sur la rive est de la Mer Noire, ont été sélectionnés pour leur robustesse et sont particulièrement résistants au froid : les jardins géorgiens sont parmi les plus au nord de la planète et les hivers y sont plus rudes que dans toute autre plantation. Si les thés produits par ce pays ne peuvent être comparés à de bons crus, ils n'en demeurent pas moins de bon thés noirs pour toute la journée.

GÉORGIE O.P.

⌛4'-5'

Belle feuille entière. Bon thé de samovar.
RÉF. 400

Iran

La consommation de thé en Iran remonte à la fin du XVe siècle et doit son développement à la difficulté d'acheminer le café, alors très apprécié dans le pays, mais très difficile à faire venir des pays producteurs. Empruntant la Route de la soie, le thé supplanta peu à peu ce dernier dans les goûts et habitudes mongols.

Il faut attendre la fin du XIXe siècle pour qu'une première tentative de culture de théiers soit faite et le début du XXe pour que la première récolte de thé iranienne soit vendue sur le marché local. Les plantations se développent alors rapidement dans la province de Gilan, située entre le sud de la Mer Caspienne et les Monts Elbourz. A partir de 1920, la production prend un réel essor. L'Iran est aujourd'hui le huitième producteur mondial et consomme la quasi-totalité de son thé.

Gilan O.P.

⏳4'-5'

Charpenté et léger en caféine. Bon thé de samovar.
Réf. 420

Boîte de 125 g
Iran Gilan :
Réf. DV420D
Boîte vide :
Réf. V401D

Thé du Hammam

Symbole de détente et de délassement, le Hammam est un espace d'oubli, dédié au corps et au bien-être. Dans ce monde clos et sécurisant, on redécouvre l'art de prendre son temps et de prendre soin de soi.

Le Thé du Hammam est inspiré d'une recette traditionnelle turque, à base de thé vert, de fleurs et de fruits. Agrémenté, dans la plus pure tradition orientale, de pétales de rose et d'eau de fleur d'oranger, le Thé du Hammam est un thé vert parfumé avec de la pulpe de datte verte et des fruits rouges. Ce thé vert, riche en vitamines, est réputé pour sa fraîcheur et ses vertus désaltérantes.

Thé du Hammam - Réf. 861

Les premières traces du thé en Russie datent de 1567 : deux cosaques - Petrov et Yalychev - le citent comme un merveilleux breuvage chinois et décident d'en faire leur boisson favorite. Il faut cependant attendre la fin du XVIIe siècle pour que le thé devienne une denrée d'importation régulière vers Moscou. Le thé ne fut d'ailleurs longtemps disponible que dans cette ville et resta, pendant presque deux siècles, l'apanage des Moscovites, que, par dérision, les Russes appelaient « les buveurs de thé » ou « les buveurs d'eau chaude ». Ce n'est qu'à partir des années 1850 que la consommation de thé se répandit dans tout l'empire et gagna l'ensemble des couches sociales.

Le thé, en Russie, est indissociable du samovar. Inventé au début du XVIIIe siècle dans l'Oural, cet objet, destiné à préparer le thé, ne s'est vraiment répandu qu'en même temps que la démocratisation du thé. Source de chaleur autour de laquelle se réunit la famille, le samovar est une sorte de grande bouilloire qui permet de maintenir plusieurs litres d'eau à la bonne température pour préparer le thé.

Le samovar est constitué d'un foyer, d'un grand récipient évidé en son centre et d'une cheminée. Dans le foyer, un brasier de charbon de bois est préparé et sert à chauffer l'air qui se trouve dans la cheminée qui le surmonte : ce système permet d'amener et de maintenir l'eau à une température constante. La forme du samovar est étudiée de façon à ce que l'on puisse entendre les différents stades de l'ébullition de l'eau : elle commence par « chanter », puis « bruire » et enfin « gronder comme la tempête ». C'est lorsque l'eau bruit, qu'elle est prête.

Un robinet, placé sur la paroi extérieure, permet de remplir aisément tasses et théières. La théière, dans laquelle un extrait de thé très concentré est préparé, est posée au-dessus de la cheminée, et est ainsi maintenue au chaud. Pour se servir, chacun verse dans sa tasse un fond de thé, qu'il rallonge d'eau chaude. Pour refroidir la liqueur, il arrive souvent que la tasse elle-même soit vidée dans une soucoupe et que l'on boive le thé directement dans ce deuxième récipient.

Le thé est très présent dans la société russe, et a même donné des expressions idiomatiques

DÉCOUVREZ LES COUTUMES RUSSES AVEC L'ÉCOLE DU THÉ

PLUS LOIN AVEC L'ÉCOLE DU THÉ

courantes : « pourboire » se dit, par exemple, « na tchaï » qui signifie « pour le thé ». Sur le plan social, la réunion autour d'une tasse de thé a revêtu diverses significations : de caractère intime et familial à l'origine, cette réunion est devenue par la suite un acte très socialisé dont la dimension mondaine et officielle occultait complètement la chaleur et le bien-être.

Aujourd'hui, boire un thé autour du samovar, c'est accomplir un geste convivial et chaleureux, comparable aux réunions familiales originelles, dont on peut trouver des descriptions dans toute la littérature russe du XIXe siècle et du début du XXe siècle. C'est un instant de partage, au sein de la communauté, pendant lequel tout le monde s'arrête un moment pour jouir du foyer et de la présence de chacun.

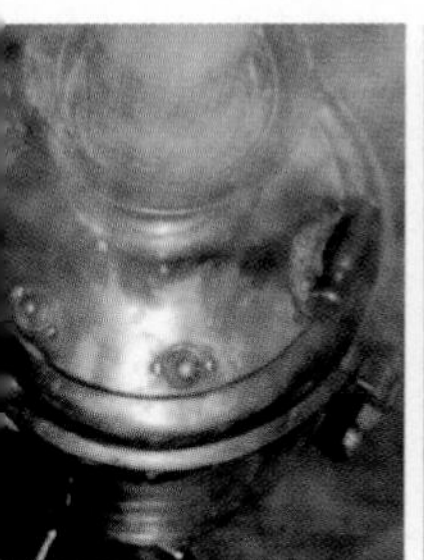

L'introduction du thé en Afrique remonte à la fin du XIXe siècle. Elle débuta d'abord en Afrique du Sud, où les Anglais en développèrent la culture pour s'assurer de nouvelles sources d'approvisionnement. A leur suite, des colons allemands expérimentèrent la culture du thé sur les pentes du Mont Cameroun ainsi qu'en Tanzanie. Au cours du XXe siècle, de nombreux pays se sont convertis à la théiculture, et le continent africain représente aujourd'hui un des acteurs essentiels sur le marché mondial du thé.

Les thés produits sont à la fois issus du procédé orthodoxe, qui donne les thés en feuilles entières ou brisées (voir pages 18-19), et également du CTC, « crushing-tearing-curling », littéralement broyage-déchiquettage-enroulage, un processus mécanique qui transforme la feuille de thé en toutes petites perles, destinées aux thés en sachets. Aujourd'hui une douzaine de pays africains produit du thé noir, de qualité inégale selon les provenances, et les experts du Palais des Thés ont choisi de ne retenir la production que de certains d'entre eux.

KENYA

Le Kenya est aujourd'hui le quatrième producteur mondial, avec environ 8% de la production. La quasi-totalité des thés originaires de ce pays sont des CTC et le jardin de Marynin, avec sa production de thé orthodoxe, reste une exception.

MARYNIN F.O.P.

⌛4'-5'

Proche de l'Assam dont il a le goût de muscade. Sa faible astringence en fait un agréable thé d'après-midi.
RÉF. 501

MARYNIN BROKEN F.B.O.P.

🔔 ⌛3'-5'

Superbe feuille brisée, aromatique et corsée.
RÉF. 505

RWANDA

La production du Rwanda est tout à fait mineure, rapportée à l'échelle mondiale, mais ce pays propose quelques thés de qualité très intéressante.

RWANDA F.O.P.

⌛4'-5'

Superbe feuille entière, large et odorante. Très riche en bourgeons. Parfum soutenu. Thé d'après-midi.
RÉF. 520

ZIMBABWE

MUKUMBANI FANNINGS F.

🔔 ⌛2'-5'

Conviendra aux amateurs de thés du matin très corsés. Avec du lait.
RÉF. 525

CAMEROUN

CAMEROUN B.O.P.

🔔 ⌛3'-5'

Agréable thé du matin assez corsé qui supporte du lait. Utilisé en mélange, il donne du corps.
RÉF. 530

ILE MAURICE

Proche de la Réunion, l'île Maurice produit différents thés dont le plus célèbre est apprécié pour son goût vanillé.

ILE MAURICE

⌛4'-5'

Thé vanillé aux agrumes.
RÉF. 350

« Thés » rouges

Originaire d'Afrique du Sud, le *Rooibos bush,* de son vrai nom *Aspalathus linearis,* est une plante différente du théier, donnant une boisson agréable, sans aucune théine et quasiment dépourvue de tanin.

Nature

☾ ⌛5'

RÉF. 910

Mélange du Cap

☾ ⌛5'

Eclats de cacao et gousses de vanille.

RÉF. 915

Windhuk

☾ ⌛5'

Vanille.

RÉF. 917

Pretoria

☾ ⌛5'

Cerise sauvage.

RÉF. 918

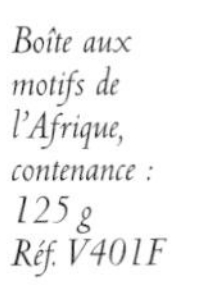

Boîte aux motifs de l'Afrique, contenance : 125 g Réf. V401F

Thé des Sables

Avec le Thé des Sables, Le Palais des Thés vous invite à la découverte d'une rose, cultivée sur les versants de l'Atlas, au sud du Maroc, la rose de Damas. Elle tire son nom de la capitale syrienne dont elle fut rapportée, il y a quelques centaines d'années, parmi les marchandises d'une caravane. Son parfum est puissant et sensuel, presque poivré. C'est une épice à part entière dans certains plats d'Afrique du Nord, mais c'est surtout sous la forme d'une confiture de pétales qu'elle exprime toute sa saveur.

Associée aux fruits du soleil - agrumes, mangues et pêches jaunes - et à la fraîcheur du thé vert, la rose de Damas donne au Thé des Sables son parfum incomparable de rose confite.

Thé des Sables - Réf. 858

Dans un compte-rendu commercial du IXe siècle, Soliman, un marchand arabe, raconte ses expéditions en Chine et fait mention du thé comme d'une herbe presque sacrée, dont l'importance est essentielle dans la société chinoise : c'est la trace écrite la plus ancienne, en dehors de textes chinois, que l'on ait sur le thé. Passant par le Pakistan, l'Iran, la péninsule arabique et la Turquie, le thé arrive jusqu'en Egypte vers le XVIe siècle. Mais sa progression s'arrête là et il ne traverse pas le désert de Libye.

Il faut en fait attendre le milieu du XIXe siècle pour qu'il soit introduit dans les pays du Maghreb, à un moment où les Anglais, confrontés à la perte du marché slave lors de la guerre de Crimée, cherchaient de nouveaux débouchés. C'est vers le Maroc, et plus précisément les ports de Mogador et de Tanger, qu'ils se tournèrent pour écouler leurs stocks. La boisson la plus répandue au Maghreb jusqu'alors était l'infusion de feuilles de menthe, parfois d'absinthe, et il semble que le thé ait reçu un accueil favorable des populations, car, mêlé à ces feuilles, il en diminuait l'amertume sans en dénaturer le goût, ni la couleur. Il fut rapidement adopté et un art typiquement marocain de boire le thé vit le jour. Grâce aux populations nomades, le thé se diffusa rapidement dans tout le

Maghreb et toute l'Afrique de l'Ouest. Depuis, offrir du thé à la menthe fait partie des règles de savoir-vivre, non seulement au Maroc, mais aussi dans de nombreux autres pays arabes.

Le thé utilisé est exclusivement du thé vert, en général du Gunpowder, réputé pour sa fraîcheur et ses vertus désaltérantes.

Le thé correspond à l'expression la plus raffinée de l'hospitalité. C'est en général le chef de famille qui le prépare, parfois son fils aîné, à moins qu'il ne veuille honorer l'invité, en le priant d'assurer cette fonction. Deux théières sont préparées en même temps : l'officiant dépose dans chacune une grosse pincée de thé vert, qu'il rince rapidement à l'eau bouillante pour lui enlever son amertume. Une poignée de feuilles de menthe fraîche et un gros morceau de pain de sucre sont ensuite introduits dans chaque théière, et recouverts d'eau bouillante. Après quelques minutes d'infusion, le préposé au thé remue le mélange et le goûte, rajoute éventuellement quelques feuilles de menthe ou un peu de sucre. Il sert ensuite le thé à l'aide des deux théières, en le versant de très haut dans de petits verres, qu'il apporte posés sur un plateau de métal finement ciselé. Trois infusions successives sont servies, de plus en plus sucrées, et après la dernière, il est poli pour l'invité de donner le signal du départ.

PARTICIPEZ AU RITUEL MAROCAIN AVEC L'ÉCOLE DU THÉ

Dans le désert, la préparation du thé est légèrement différente et se fait à l'aide de petites théières en métal émaillé, que l'on pose directement sur le feu, remplies de thé, d'eau et de sucre. Comme au Maroc, trois thés successifs sont servis : les Touaregs disent que le premier est fort comme la vie, le second bon comme l'amour, le dernier doux comme la mort.

Complètement inconnus des consommateurs européens, les thés d'Amérique du Sud, qui ne peuvent prétendre rivaliser avec les grands thés d'Inde ou du Sri Lanka, mais dont les caractéristiques sont proches, restent encore à découvrir.

ARGENTINE

Onzième producteur mondial, l'Argentine pratique véritablement la culture du thé depuis une soixantaine d'années. La quasi-totalité des plantations se trouve à la frontière avec le Brésil, dans la région de Misiones.

FLOR DE ORO F.B.O.P.

⌛ 3'-5'

Un thé légèrement corsé.

RÉF. 605

MATÉ

Le maté n'est pas issu du théier mais d'une plante originaire d'Amérique du Sud, très riche en caféine. On l'appelle aussi « Thé des Jésuites. »

MATÉ VERT

🔔 ⌛ 5'

RÉF. 950

MATÉ TORRÉFIÉ

🔔 ⌛ 5'

RÉF. 951

BRÉSIL

Producteur marginal, le Brésil propose quelques thés brisés.

BRÉSIL B.O.P.

🔔 ⌛ 3'-5'

Pour le petit déjeuner, avec du lait.

RÉF. 615

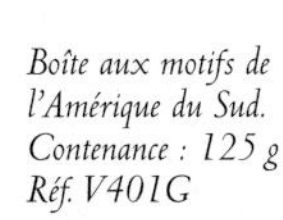

Boîte aux motifs de l'Amérique du Sud.
Contenance : 125 g
Réf. V401G

Mélanges et Parfums

Aux côtés des pays producteurs, on trouve de nombreux pays consommateurs qui ont développé des recettes spécifiques à base de thé : mélanges de thés d'origine et Earl Grey en Grande Bretagne, Goûts russes en Russie, thés aromatisés et mélanges parfumés en Europe…

Ces thés sont élaborés avec des thés noirs, des thés verts ou des thés semi-fermentés, auxquels sont parfois ajoutés des morceaux de fruits, de fleurs, d'épices, d'algues ou des essences naturelles rigoureusement sélectionnées.

Certains thés sont achetés directement dans leur pays d'origine, comme les Fleurs de Chine et quelques thés aromatisés selon une tradition locale ; la plupart sont créés en France par les experts du Palais des Thés, dont le savoir-faire et l'inspiration ont donné naissance à de merveilleuses associations de saveurs. *Big Ben, Vice-Roi des Indes,* le *Thé des Sables,* le *Thé des Lords, Blue of London,* le *Thé du Hammam,* le *Thé des Amants , N°25* ou encore le fameux thé vert à la vanille sont autant de succès qui consacrent leur talent.

Dans cette partie, vous trouverez des thés dont l'élaboration, au-delà de la cueillette et de la maîtrise de la fermentation, se rapproche de l'art du parfumeur.

Mélanges traditionnels anglais
- Mélanges de thés d'origine
- Earl Grey

Spécialités slaves
- Goûts russes non parfumés
- Goûts russes parfumés

Fleurs de Chine
- Thés au jasmin
- Thé à la rose

Mélanges Parfumés
- Dominante florale
- Dominante fruitée
- Dominante agrumes
- Dominante épicée
- Dominante iodée

Thés aromatisés

Thés déthéinés

Mélanges traditionnels anglais

Depuis l'époque coloniale, les Anglais ont pris l'habitude de procéder à des mélanges de thés d'origine (Darjeeling, Assam, Ceylan, etc.), dosés selon l'heure de la journée : thés plus corsés le matin, plus légers l'après-midi. Dans le droit fil de cette tradition, Le Palais des Thés a créé des mélanges, dont l'équilibre est adapté aux différents moments de la journée.

mélanges de thés d'origine

Vice-roi des Indes T.G.F.O.P.

3'-5'

Remarquable mélange de Darjeeling et de Yunnan. Raffiné et délicat, ce thé est à la fois fruité et puissant. Un excellent thé du matin et de l'après-midi.

RÉF. 706

Big Ben G.F.O.P.

3'-5'

Très beau mélange de Yunnan et d'Assam. A la fois doux et tonique, rond et épicé, c'est un mariage réussi des deux caractères. Excellent thé du matin.

EN VRAC : RÉF. 705

EN MOUSSELINES : RÉF. D705S

Brunch Tea G.F.O.P.

3'-5'

La robustesse de l'Assam et la délicatesse du Darjeeling. Belles feuilles entières, beaucoup de golden tips.

RÉF. 703

Queen Blend O.P.

3'-5'

Fin et délicat, pour l'après-midi. Mélange de thés d'Inde et d'Indonésie, sélectionnés pour le « five o'clock tea ».

RÉF. 711

Morning Tea F.O.P.

3'-5'

Superbe mélange de grands crus d'Assam et de Ceylan. Feuilles entières agrémentées de « golden tips ».

RÉF. 702

THÉ DE CINQ HEURES F.O.P.

 ⌛3'-5'

Une pointe d'Assam pour rehausser ce mélange de feuilles entières de Darjeeling et de Ceylan des hauts plateaux. Idéal l'après-midi.
RÉF. 704

IRISH BLEND F.O.P.

 ⌛3'-5'

Un grand Darjeeling et un Ceylan des Uva Highlands. Feuilles entières agrémentées de tips.
RÉF. 710

BREAKFAST TEA B.O.P.

 ⌛2'-5'

Un mélange corsé de thés brisés d'Assam, de Ceylan, d'Inde et d'Indonésie.
RÉF. 700

STRONG BREAKFAST B.O.P.

 ⌛2'-5'

Un mélange très corsé de thés brisés d'Assam, de Ceylan, du Bangladesh et d'Indonésie, tous sélectionnés pour leur robustesse.
RÉF. 701

QUEEN BLEND FANNINGS F.

 ⌛2'-4'

D'une force peu commune. Mélange de thés d'Afrique et de Ceylan, de puissance et d'arôme.
RÉF. 715

LES MOUSSELINES DE THÉ

En voyage, au bureau, à l'hôtel, il n'est pas toujours facile de trouver du bon thé. Ces mousselines vous permettent d'emporter vos thés favoris partout où vous le souhaitez et de les préparer facilement. Entièrement faite à la main, chaque mousseline renferme 2 g de thé, à faire infuser dans 15 cl d'eau frémissante.

11 références sont disponibles en étui de 20 mousselines :

- *Thé des Moines.* RÉF. D898S
- *Thé du Hammam.* RÉF. D861S
- *Thé des Lords.* RÉF. D802S
- *Thé des Songes.* RÉF. D896S
- *Thé vert à la vanille.* RÉF. D850S
- *Big Ben, breakfast tea.* RÉF. D705S
- *Thé du Tigre.* RÉF. D271S
- *Grand Yunnan Impérial.* RÉF. D220S
- *Margaret's Hope.* RÉF. D018S
- *Saint-James O.P.* RÉF. D111S
- *Sencha Supérieur.* RÉF. D303S

Earl Grey

Le Earl Grey est un grand classique anglais, depuis qu'Edouard Grey, comte (earl en anglais) de Falodon et ministre des Affaires étrangères du Royaume britannique au début du siècle, eut l'idée d'appliquer une vieille recette chinoise, consistant à aromatiser son thé avec de la bergamote. La qualité d'un Earl Grey est fonction de la qualité de la bergamote utilisée (celles de Calabre et de Sicile sont les plus réputées), et du thé de base que l'on aromatise.

BLUE OF LONDON, EARL GREY DU YUNNAN

⌛4'-5'

Un des meilleurs thés noirs au monde, le Yunnan, une bergamote fraîche et délicate, originaire de Calabre, composent ici un mélange remarquable de finesse et d'équilibre. Un Earl Grey d'exception, qui ravira à la fois les amateurs de thé d'origine et les amateurs de thé parfumé.

EN VRAC : RÉF. 803

EN BOITE MÉTAL (100 G) : DV803

ACCESSOIRES

Cuillère du dégustateur

1- Réf. W702

Mesures en métal argenté

2- Réf. W709D
3- Réf. W709A
4- Réf. W709F
5- Réf. W709C
6- Réf. W709E
7- Réf. W709H
8- Réf. W709G
9- Réf. W709B

Passe-thé en métal argenté

10- Réf. W711B
11- Réf. W711C
12- Réf. W711D
13- Réf. W711A
14- Réf. W711F
15- Réf. W711G
16- Réf. W711E

Mesures en matières naturelles

17- Ecorce de cerisier poli Réf. W703
18- Ecorce de cerisier brut Réf. W705
19- Corne Réf. W712A
20- Corne Réf. W712B
21- Nacre Réf. W704A
22- Nacre Réf. W704B

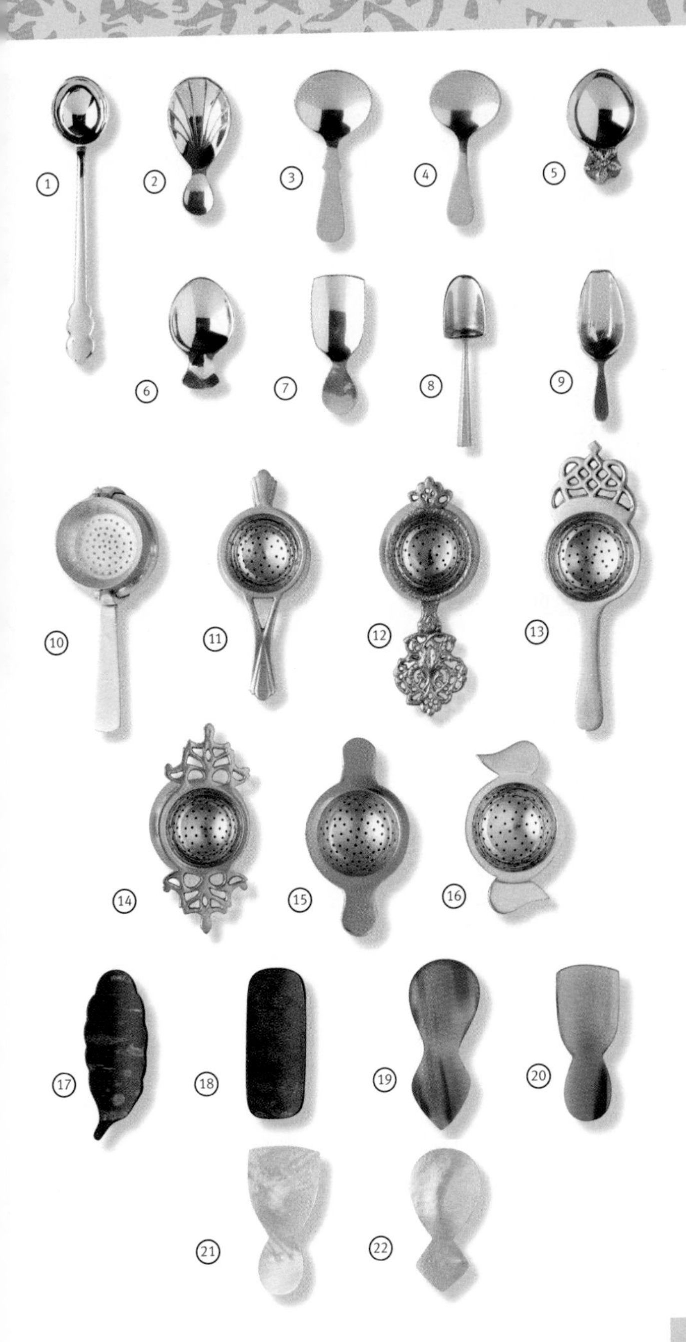
1
2
3
4
5
6
7
8
9
10
11
12
13
14
15
16
17
18
19
20
21
22

En 1606, les premières caisses de thé arrivent à Amsterdam en Hollande : c'est la première cargaison de thé connue et enregistrée dans un port occidental. Les Pays-Bas ont alors la mainmise sur le négoce des produits rares en provenance de l'Orient, mais cette suprématie est vite remise en cause par les Anglais, qui fondent quelques années plus tard l'East India Company, concurrent direct de la compagnie hollandaise. L'arrivée du thé en Angleterre a lieu dans un contexte particulier : la mode est alors aux cafés, les *coffee-houses,* qui se développent de plus en plus et connaissent un succès grandissant. A la même époque, Catherine de Bragance, infante portugaise et jeune femme du roi d'Angleterre, apporte en dot Bombay, et son habitude de boire du thé à toute heure de la journée ! Dès lors, le thé connaît un véritable engouement dans tout le pays. Apprécié à la Cour, il ne tarde pas à conquérir toutes les couches de la population, et devient rapidement un immense succès populaire. Le thé est aujourd'hui un pilier de la société britannique : les Anglais en boivent tout au long de la journée : ils commencent par le « Early Morning Tea », souvent pris encore au lit avec des biscuits secs, puis continuent avec le « Breakfast Tea » qui accompagne un petit-déjeuner copieux, se servent une tasse sur le coup de 11 heures, ce qui leur permet de tenir jusqu'au classique « Five o'clock tea ». Enfin, un dernier thé est souvent bu le soir, avant le coucher.

Le « Five o'clock Tea » est en Grande-Bretagne un véritable rituel. C'est une coutume qui aurait été instaurée au XIXe siècle par la septième duchesse de Bedford. On déjeunait, à l'époque, très tôt et l'on dînait très tard, et la duchesse avait pris l'habitude de déguster entre trois et quatre heures de l'après-midi une tasse de thé accompagnée d'une collation. Elle commença peu à peu à inviter ses amis à partager ce moment et lança ainsi une mode dont le succès fut rapide et considérable.

Aujourd'hui, comme au siècle précédent, on se reçoit en famille ou entre amis pour boire le thé. Pour prévenir les désirs de chacun, lait, sucre et citron ne sont jamais oubliés. Le thé est préparé selon cinq règles d'or, typiquement britanniques, et particulièrement adaptées aux types de thés bus en Angleterre :

DÉCOUVREZ LA TRADITION ANGLAISE AVEC L'ÉCOLE DU THÉ

- ébouillanter la théière, pour réchauffer les feuilles de thé et leur permettre de libérer tout leur parfum,
- mettre dans la théière une petite cuillérée de thé par tasse, plus une pour la théière,
- verser l'eau frémissante, jamais bouillante, sur les feuilles,
- laisser infuser trois à cinq minutes,
- remuer et servir.

Le « Five o'clock Tea », depuis son apparition, a donné naissance à de nombreux objets, ustensiles, pâtisseries... Et les tea-caddies, tea-cosies, boules à thé, passe-thé, sucriers, pots à lait, tasses, théières, scones, cakes, muffins, crumpets, toasts, creams, etc., sont autant d'inventions qui servent à mettre en valeur le thé, tant dans sa mise en scène que dans sa dégustation, créant ainsi l'atmosphère cosy du thé à l'anglaise.

Thé des Lords

⌛4'-5'

Très bel Earl Grey au puissant parfum de bergamote, agrémenté de pétales de carthame. Le plus bergamoté de tous les Earl Grey.

EN VRAC : RÉF. 802

EN MOUSSELINES : RÉF. D802S

Earl Grey Darjeeling

⌛3'-4'

Un remarquable thé de base originaire des hauts plateaux himalayens pour une bergamote délicate, en provenance de Sicile.

RÉF. 804

Earl Grey Impérial

⌛4'-5'

Agrémenté de pointes blanches, au bel arôme de bergamote.

RÉF. 800

Earl Grey Fleurs Bleues

⌛4'-5'

Earl Grey agrémenté de fleurs de bleuet. Très parfumé et beaucoup de finesse.

RÉF. 808

Earl Grey Wu Long

⌛7'

Beau Wu Long généreusement aromatisé. Faible en théine.

RÉF. 806

Earl Grey Sencha

⌛3'

Beau mariage de la note acidulée de la bergamote avec la fraîcheur du thé vert.

RÉF. 807

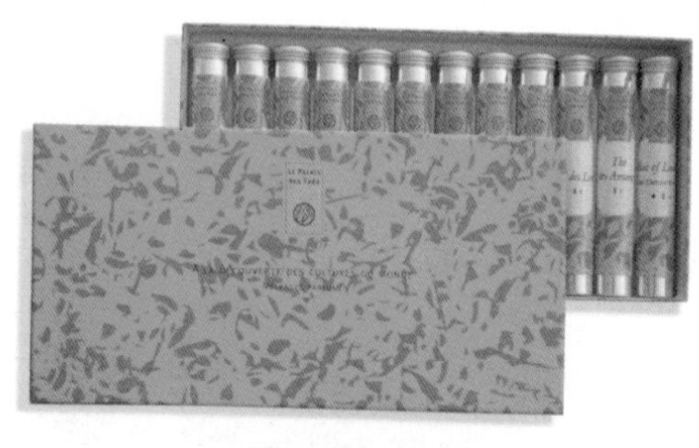

Coffret Mélanges et Parfums
12 tubes de thés parfumés - Réf. DCMP

Earl Grey Smoky

⌛5'

Légèrement fumé et bien bergamoté.

RÉF. 805

Earl Grey Finest

⌛4'-5'

Le plus doux en bergamote.

RÉF. 801

Goûts russes

On se gardera de confondre les thés qui poussent en Géorgie avec les thés consommés régulièrement depuis le XVIIe siècle en Russie. A l'origine mélanges de thés noirs chinois, les thés consommés par les Russes se diversifient avec l'arrivée, à la fin du XIXe siècle, des thés de l'Inde, Darjeeling notamment, à la cour de Russie. On a pris depuis l'habitude d'appeler « Goût Russe », tout mélange de différents thés noirs chinois et de Darjeeling, parfumé ou non avec des essences naturelles d'agrumes.

Goûts russes non parfumés

Appréciés pour leur faible teneur en théine et leur légèreté, ce sont essentiellement les Qimen qui, interviennent dans ces mélanges, parfois additionnés, de Sichuan ou de Darjeeling.

Michel Strogoff

🔔 ⌛4'-5'

Fameux mélange de thés d'Asie centrale. Un dosage subtil de thés noirs et de thés verts, qui donne une liqueur puissante et tonique. Idéal pour le petit déjeuner.

RÉF. 455

Thé russe fumé

⌛4'-5'

Mélange légèrement fumé de Qimen et de Sichuan, agrémenté de fleurs de jasmin. Doux et fleuri.

RÉF. 452

Thé pour le samovar

⌛4'-5'

Mélange de différents Qimen. Très léger et faible en théine. Bon thé d'après-midi.

RÉF. 451

Thé russe

⌛4'-5'

Le plus léger et le plus faible en théine. Bon thé d'après-midi.

RÉF. 450

LES DÉLICES DE THÉ

Le Délice de Thé est une recette créée par Le Palais des Thés. Elle est préparée à partir d'une infusion de thé, d'une gelée de fruits et de sucre de canne. Cuite en chaudron de cuivre et en petite quantité, cette préparation allégée restitue tout l'arôme des grands thés du Palais des Thés.

Ce Délice accompagne délicieusement tartines, laitages, desserts et peut aussi être utilisé en chutney. (faible teneur en sucre : 45 g pour 100 g).

6 parfums sont disponibles :

- *Thé des Moines*
  RÉF. F500MO
- *Thé du Hammam*
  RÉF. F500HA
- *Thé des Songes*
  RÉF. F500MI
- *Montagne Bleue*
  RÉF. F500MB
- *Goût Russe 7 Agrumes*
  RÉF. F500GR
- *Rose de Chine*
  RÉF. F500RO

Goûts russes parfumés

Comme son concurrent anglais le Earl Grey, le Goût russe parfumé est presque toujours bergamoté. Certains mélanges comportent d'autres agrumes, parfois des épices, en plus de la bergamote. Les Goûts Russes parfumés sont idéals l'après-midi.

GOÛT RUSSE 7 AGRUMES

⧗4'-5'

Remarquable mélange de thés noirs, aromatisé aux essences naturelles de citron, citron vert, orange douce, orange amère, pamplemousse, bergamote et mandarine. Créé par Le Palais des Thés dans ses premières années, ce cocktail de 7 agrumes a été ensuite décliné sur d'autres bases de thé. Souvent copié, jamais égalé, le *7 agrumes* est une recette exclusive du Palais des Thés. Il convient très bien le matin. Excellent en thé glacé.

EN VRAC : RÉF. 494

EN DÉLICE : RÉF. F500GR

Boule à thé- Réf. W201

DARJEELING 7 AGRUMES

⌛3'-5'

Les essences naturelles qui font le succès du Goût russe 7 agrumes parfument ici un remarquable Darjeeling.

EN VRAC : RÉF. 490

EN BOITE MÉTAL (100 G) : RÉF. DV490

WU LONG 7 AGRUMES

☾ ⌛5'-7'

Associé aux notes hespéridées des agrumes, le caractère boisé du Wu Long prend un goût délicieux, tout en conservant sa longueur en bouche.

RÉF. 491

PRINCE WLADIMIR

⌛4'-5'

Quelques épices - cannelle, cardamome et clou de girofle - relèvent le goût d'agrume, ici la limette. Délicieux parfum de pain d'épices.

RÉF. 499

GOÛT RUSSE IMPÉRIAL

⌛4'-5'

Un grand classique, plein de finesse, où dominent la mandarine et les agrumes rouges.

RÉF. 492

REMPARTS DE VARSOVIE

⌛4'-5'

Thé assez vif, où domine le pamplemousse.

RÉF. 489

THÉ AUX ORANGES DE CUBA

⌛4'-5'

Thé léger et délicat parfumé avec des oranges douces de Cuba.

RÉF. 493

Boîte de 100 filtres en papier - Réf. W612

Film en textile, 11cm - Réf. W803

Fleurs de Chine

thés au jasmin

Originaire du Fujian, le thé au jasmin est préparé à partir de thé vert ou de Wu Long, auquel sont ajoutées des fleurs de jasmin fraîchement cueillies. Le thé absorbant facilement l'odeur des produits avec lesquels il est en contact, on intercale, dans un récipient, de fines couches de fleurs avec les feuilles. Le récipient est ensuite recouvert de paille pendant 24 heures puis chauffé pendant une heure avant que l'on ne sépare les feuilles des fleurs. Moins il y a de fleurs, plus la qualité du thé est belle.

Perles de Jasmin

☀ ⧗3'-4'

Très rares et disponibles de façon très irrégulière, les Perles de Jasmin sont produites à partir de feuilles de thé vert de la meilleure qualité. Elles sont façonnées à la main jusqu'à devenir de petites billes rondes. Recroquevillée sur elle-même, la feuille de thé conserve ainsi le parfum délicat de la fleur de jasmin qui a servi à la parfumer. Ce thé spectaculaire donne une infusion de la plus grande qualité : la douceur du thé vert s'harmonise à merveille avec la subtilité du jasmin. Au palais, la rondeur, le velouté de la liqueur rappellent ceux de la perle de thé.
Le must du thé au jasmin, à déguster nature, après une infusion de 3 à 4 minutes.

Réf. 248

Grand Jasmin Mao Feng

☀ ⧗3'

« Pointes de cheveux ». Un thé au jasmin très rare, composé essentiellement de bourgeons, qui avait disparu depuis longtemps et que la province du Fujian produit de nouveau en très petites quantités. Parmi ce qui se fait de mieux en matière de jasmin. Aucune fleur : elles ont toutes été retirées pour ne pas donner d'amertume à l'infusion. Le moelleux de sa liqueur et la subtilité de son parfum lui valent sa qualité de thé exceptionnel.

Réf. 249

Grand Jasmin Chun Feng

☀ ⌛3'

L'un des meilleurs avec les précédents. Ici aussi, les fleurs ont quasiment toutes été retirées et la concentration en bourgeons est élevée. Un thé de base remarquable, très légèrement fermenté, qui permet à l'arôme du jasmin de s'exprimer entièrement au bout des trois minutes d'infusion.

RÉF. 250

Grand Jasmin Monkey King

☀ ⌛3'

« Cueillette des singes ». La légende veut que l'on ait dressé des singes à récolter les pousses les plus hautes des théiers sauvages. Peu de fleurs et petite feuille, comme le Chun Feng.

RÉF. 251

Fleur de Jasmin

⌛3'

Avec des pointes blanches et quelques fleurs.

RÉF. 252

Jasmin

⌛4'

Bien fleuri.

RÉF. 253

thé à la rose

Comme pour les thés au jasmin, on mêle aux feuilles de thé des pétales de rose, qui, cette fois, n'ont pas besoin d'être retirés, ne donnant pas d'amertume en infusant.

Rose de Chine

⌛5'

Qimen et pétales de rose.

EN VRAC : RÉF. 847

EN DÉLICE : RÉF. F500RO

Pains d'épices

Nos pains d'épices sont fabriqués artisanalement selon une recette traditionnelle, à partir des meilleurs ingrédients. Leur cuisson lente garantit leur moelleux et leur fondant.

Pain d'épices aux cerises. RÉF. F701.

Pain d'épices au gingembre. RÉF. F700.

MÉLANGES PARFUMÉS

dominante florale

THÉ DES MOINES

⌛3'

Inspiré d'une recette ancestrale élaborée dans un monastère tibétain, le Thé des Moines est un mélange rare, à la saveur unique. La légende raconte qu'une communauté de moines préparait dans le plus grand secret un mélange de thé, de plantes et de fleurs. Après quelques jours de macération, les feuilles de thé étaient soigneusement triées et mises de côté. Par cette mystérieuse alchimie, les moines changeaient le thé en or et donnaient au Thé des Moines son parfum exceptionnel.

EN VRAC : RÉF. 898

EN BOITE MÉTAL (100 G) : RÉF. DV898

EN MOUSSELINES : RÉF. D898S

EN DÉLICE : RÉF. F500MO

DANS SON POT TRADITIONNEL (VOIR P.77) : RÉF. D898P

THÉ DES SABLES

☀ ⌛3'

Inspiré d'un voyage au Maroc, le Thé des Sables est un mélange à base de thé vert. La rose de Damas, célèbre rose cultivée sur les versants de l'Atlas, est associée aux fruits du soleil - mangue, pêche jaune et agrume - pour restituer la saveur unique d'une confiture de pétales. A la fois frais et sensuel, vous l'apprécierez aussi bien brûlant que glacé.

PHOTO P.95

EN VRAC : RÉF. 858

EN BOITE MÉTAL (100 G) : RÉF. DV858

THÉ AUX FLEURS ORIENTALES

⌛4'-5'

Mélange oriental fleuri à base de rose et de lotus. Thé de Chine léger.

RÉF. 870

IKEBANA

⌛5'

Mélange fleuri de thés verts et de thés noirs : menthe, rose, jasmin, orchidée.

RÉF. 868

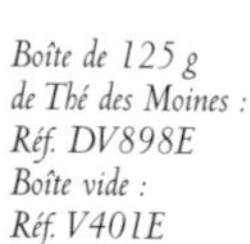

Boîte de 125 g de Thé des Moines : Réf. DV898E Boîte vide : Réf. V401E

dominante fruitée

THÉ DU HAMMAM

☀ ⌛3'

Le Thé du Hammam est un mélange créé par Le Palais des Thés, inspiré d'une recette traditionnelle turque. Il s'agit d'un thé vert, riche en vitamines, parfumé avec de la pulpe de datte verte, de la fleur d'oranger, de la rose et des fruits rouges. Ce thé voluptueux est aussi délicieux chaud que glacé.

EN VRAC : RÉF. 861

EN BOITE MÉTAL (100 G) : RÉF. DV861.

EN MOUSSELINES : RÉF. D861S

EN DÉLICE : RÉF. F500HA

THÉ DES CONCUBINES

⌛4-5'

Un mélange de thés verts et de thés noirs, parsemé de fleurs, au parfum enivrant, où dominent la cerise, la papaye et le caramel. C'est l'odeur d'une maison de thé chinoise que nous avons voulu capturer ici.

RÉF. 864

THÉ DES ALIZÉS

☀ ⌛3'

Thé vert agrémenté de pétales de fleurs et subtilement parfumé avec des morceaux de pêche blanche, de kiwi et de pastèque. Superbe équilibre du thé vert et de la fraîcheur juteuse des fruits. A déguster chaud ou glacé.

RÉF. 862

THÉ DES SONGES

☾ ⌛5'-7'

Un délicieux Wu Long parfumé aux fleurs et fruits exotiques. Faible en théine.

EN VRAC : RÉF. 896

EN MOUSSELINES : RÉF. D896S

EN DÉLICE : RÉF : F500MI

THÉ AUX FRUITS D'ÉTÉ

⌛4'-5'

Très beau thé du Yunnan, aromatisé aux extraits naturels de Na-she, un fruit qui pousse au sud de la Chine, dont le goût rappelle celui de la poire et la forme, celle d'une petite pomme. Un mélange frais et subtil, parsemé de pétales de souci.

RÉF. 873

FORÊT NOIRE

⌛4'-5'

Mélange de thés d'altitude, agrémenté de fruits noirs, de fruits des bois et de pétales de bleuet. La mûre domine.

RÉF. 891

DÉLICES DE FRUITS ET THÉ

Cette déclinaison du Délice de Thé est une recette proche d'une confiture. Elle associe harmonieusement les arômes délicats des thés d'origine aux saveurs gourmandes des fruits frais. Chaque fruit et chaque thé ont été idéalement dosés pour que la douceur du fruit soit légèrement relevée par les notes aromatiques du thé. (Recette allégée en sucre : 40 g pour 100g)

5 parfums sont disponibles :

- *Abricot au Darjeeling Margaret's Hope.* RÉF. F551
- *Poire au thé Wu Long de Chine.* RÉF. F552
- *Marron au thé fumé de Taiwan.* RÉF. F553
- *Griotte au thé noir du Yunnan.* RÉF. F554
- *Rhubarbe au thé vert du Japon.* RÉF. F555

SONGE D'UNE NUIT D'ÉTÉ

⌛4'-5'

Un thé noir fleuri et fruité, aux notes exotiques.
RÉF. 872

BYZANCE

⌛4'-5'

Mélange de thés noirs, verts, rouges et de maté, où dominent le cassis et la cardamome.
RÉF. 888

FRUITS ROUGES WU LONG

☾ ⌛5'-7'

Framboise et fraise des bois.
RÉF. 884

TROPICAL WU LONG

☾ ⌛5'-7'

Cocktail de fleurs et de fruits tropicaux : mangue, maracuja et goyave.
RÉF. 894

MONTAGNE BLEUE

⌛4'-5'

Thé noir, miel, lavande, bleuet, fraise, rhubarbe.
EN VRAC : RÉF. 889
EN DÉLICE : RÉF. F500MB

QUATRE FRUITS ROUGES

⌛4'-5'

Thé noir, fraise, framboise, cerise, groseille.
RÉF. 885

Thé aux fruits du Népal

⌛4'-5'

Thé noir, lotus, lychee, cannelle, mangue.

RÉF. 886

Thé des Enfants

☾ ⌛5'

Mélange peu théiné de thé noir, de morceaux de fruits séchés et de fleurs, au bon goût de cerise.

RÉF. 960

dominante hespéridée

Thé aux fruits d'automne

⌛4'-5'

Thé noir, citron et hibiscus.

RÉF. 878

Gibraltar

⌛4'-5'

Thé noir, agrumes rouges, vanille, miel et épices.

RÉF. 866

Soirée d'hiver

⌛4'-5'

Thé noir, épices, agrumes et caramel.

RÉF. 874

Thé aux fruits de la Méditerranée

⌛4'-5'

Thé noir, lavande, mandarine, vanille.

RÉF. 882

dominante épicée

N°25

⌛4'-5'

Superbe thé du Sri Lanka parfumé avec des agrumes, de la rose et des épices : vanille, cannelle, amande. Un mélange pour Noël, qui n'est disponible qu'au moment des fêtes de fin d'année.

EN VRAC : RÉF. 860

EN BOITE METAL (100 G) : RÉF. DV860

Thé des Amants

⌛4'-5'

Thé noir, pomme, amande, cannelle, vanille et gingembre. Délicieux !

RÉF. 880

Thé des Vahinés

⌛4'-5'

Thé noir, vanille, noisette et hibiscus.

RÉF. 863

Loreleï

⌛4'-5'

Thé noir, cannelle, vanille et amande.

RÉF. 871

SAINT-NICOLAS

⌛4'-5'

Thé noir, amande amère, cannelle, noix.

RÉF. 890

TOFFEE

⌛4'-5'

Thé noir au goût du célèbre caramel anglais qui associe des essences naturelles de vanille et de cacao.

RÉF. 865

CACHEMIRE

⌛4'-5'

Mélange de thés verts et de thés noirs aux agrumes et aux épices : clou de girofle et cannelle.

RÉF. 867

MEKONG

⌛4'-5'

Thé noir parfumé aux fruits qui poussent sur les rives du fleuve : poire d'Indochine, gingembre, agrumes et menthe.

RÉF. 869

CHAI

⌛4'-5'

Mélange de thé et d'épices, que l'on fait infuser dans du lait bouillant, avec du sucre, selon la tradition indienne.

RÉF. 770

dominante iodée

THÉ MARIN

☾ ⌛5'-7'

Riche en sels minéraux et en oligo-éléments (fer, iode, calcium, magnésium, phosphore), ce savant mélange de thés semi-fermentés et d'algues, célébré par la diététique orientale, se laisse infuser 5 à 7 minutes. Faible en théine.

RÉF. 899

BONBONS AU THÉ

Nos bonbons sont fabriqués à partir d'un sirop de sucre de canne et d'une infusion de thé noir ou de matcha, le thé de la cérémonie japonaise.

Bonbons au matcha. RÉF. F931

Bonbons au thé noir. RÉF. F930

Thés aromatisés

Abricot
réf. 740 ⌛ 4'-5'

Bergamote *(voir Earl Grey p. 104)*

Cannelle
réf. 749 ⌛ 4'-5'

Caramel
réf. 750 ⌛ 4'-5'

Cardamome
réf. 751 ⌛ 4'-5'

Citron vert Wu Long
réf. 765 ☾ ⌛ 5'-7'

Citron vert sencha
réf. 766 ☀ ⌛ 3'

Fleur d'oranger Wu Long
réf. 824 ☾ ⌛ 5'-7'

Fraise des bois
réf. 776 ⌛ 4'-5'

Fruit de la passion
réf. 779 ⌛ 4'-5'

Gingembre
réf. 781 ⌛ 4'-5'

Ginseng
réf. 782 ⌛ 4'- 5'

Jasmin *(voir Fleurs de Chine p.112)*

Lotus
réf. 790 ⌛ 4'-5'

Lychee
réf. 792 ⌛ 4'-5'

Mangue
réf. 810 ⌛ 4'-5'

Thé vert à la menthe
réf. 815 ⌛ 4'-5'

Noix de coco
réf. 822 ⌛ 4'-5'

Pêche
réf. 833 ⌛ 4'-5'

Rose *(voir Fleurs de Chine p.112)*

Thé vert à la Vanille
en vrac réf. 850 ☀ ⌛ 3'
en mousselines réf. D850S

Vanille
réf. 849 ⌛ 4'-5'

Violette
réf. 851 ⌛ 4'-5'

Thés déthéinés

Nature
réf. 851 ☾ ⌛ 4'-5'

Earl Grey
réf. 902 ☾ ⌛ 4'-5'

Comment préparer son thé ?

Pour faire un bon usage du thé, il est nécessaire d'en connaître les particularités. Il existe, en effet, autant de modes de préparation du thé qu'il y en a de variétés. Selon la provenance, la saison, la finesse de la cueillette ou la coutume locale, le thé ne répondra pas aux mêmes critères de préparation en matière de dosage, de temps d'infusion, de température et même de qualité de l'eau. Aussi chaque fois que vous achetez du thé au Palais des Thés, nous vous apportons les conseils appropriés et spécifiques, nécessaires à sa bonne préparation. Par ailleurs, en raison de leurs multiples vertus, les thés peuvent correspondre plus particulièrement à certains moments de la journée. C'est pourquoi, au Palais des Thés, nous avons jugé utile d'apporter ces précisions à chacun de nos thés, et cela à l'aide de plusieurs pictogrammes que vous retrouvez indiqués avec chaque descriptif.

La table d'infusion ci-contre vous donne les grandes lignes de préparation du thé, en fonction de sa couleur ou de son origine. Reportez-vous aux commentaires de chaque thé pour des indications plus précises, notamment pour savoir s'il existe une tradition locale ou un mode de consommation particulier qui lui est attaché.

Le choix de l'eau

Dans la préparation du thé, le choix de l'eau est un aspect souvent laissé de côté. Pourtant, utiliser une eau de bonne qualité est essentiel pour apprécier toute la finesse et la subtilité d'un thé.

L'eau du robinet est souvent médiocre sur le plan gustatif, en raison des produits que l'on y ajoute pour la rendre potable, principalement le chlore. Pour résoudre ce problème, on peut utiliser un système de filtre, qui atténue la dureté de l'eau.

TABLE D'INFUSION	Température de l'eau	Durée d'infusion	Dose pour 15 cl
Thés blancs			
• Aiguilles d'argent	70°C	10 mn	4 à 6 g
• Bai Mu Dan	80°C	8 à 10 mn	4 à 6 g
Thés verts			
• Thés verts chinois primeurs	70°C	3 à 5 mn	4 à 6 g
• Autres thés verts chinois	80°C	3 à 4 mn	2,5 à 4 g
• Thés verts japonnais	50 à 90°C *selon la finesse*	1 à 3 mn	4 à 8 g
Thés Wu Long			
• au Gong Fu Cha	95°C	*1 mn pour la première infusion 30 sec pour les suivantes*	10 g pour 15 cl
• en théière traditionnelle	95°C	5 à 7 mn	2,5 à 5 g
Thés noirs			
• Chine	95°C	4 à 5 mn	2,5 g
• Inde, *Darjeeling de printemps*	95°C	2 à 3 mn	2,5 à 4 g
• Inde, *autres récoltes de Darjeeling*	95°C	3 à 5 mn	2,5 g
• Inde Assam	95°C	3 à 5 mn	2,5 g
• Sri Lanka et autres origines	95°C	4 à 5 mn	2,5 g
• Feuilles brisées	95°C	3 à 5 mn	2 g
• Fannings	95°C	2 à 5 mn	2 g
Thés sombres	95°C	4 à 5 mn	2,5 g
Thés parfumés			
• à base de thé noir	95°C	4 à 5 mn	2,5 g
• à base de thé semi-fermenté	95°C	5 à 7 mn	2,5 g
• à base de thé vert	95°C	3 à 4 mn	3 à 5 g

Pour les meilleurs thés, il est conseillé d'utiliser une eau de source ou une eau minérale. Une eau de source peu minéralisée, constituera une base neutre, qui s'effacera complètement derrière les qualités gustatives du thé. Une eau minérale apportera sa saveur propre au thé, ce qui ne sera pas forcément au détriment du goût. Par exemple, les eaux légèrement acides se marient très bien avec les Darjeeling de printemps.

La température de l'eau est l'autre aspect important que l'on néglige trop souvent. L'eau ne doit jamais être versée bouillante sur les feuilles : elle les brûlerait et détruirait les molécules aromatiques qu'elles contiennent, ôtant ainsi au thé l'essentiel de son parfum. Pour certains thés très fragiles, il est même important de ne pas faire trop chauffer l'eau afin de respecter la délicatesse de la feuille.

Comment déthéiner son thé ?

Rien de plus simple pour déthéiner soi-même son thé ! Ceci est possible avec tous les thés sans exception :

- verser l'eau chauffée à la bonne température sur les feuilles et laisser infuser 30 secondes,
- après les 30 secondes d'infusion, jetez cette eau,
- verser à nouveau de l'eau sur les mêmes feuilles et laisser infuser normalement.

La théine se diffuse dans les toutes premières secondes de l'infusion. Aussi en jetant cette eau, vous vous êtes débarrassé de la théine. Cependant, il serait dommage de déthéiner un thé rare car vous perdriez un peu de son caractère.

Le thé glacé

Faire infuser 8 à 10 g de thé dans un litre d'eau à température ambiante pendant une nuit. Le thé ainsi obtenu sera corsé et aura un goût de thé très prononcé. Mettre ensuite au frais. C'est une recette qui convient parfaitement pour les thés noirs d'origine. Au moment de servir, agrémenter d'une rondelle d'orange ou d'un petit morceau de citron vert.

Pour les thés et mélanges parfumés, il est conseillé de faire infuser 15 à 20 grammes de thé dans un litre d'eau fraîche, pendant une heure pour les mélanges à base de thé noir (Goût Russe 7 Agrumes, Thé des Concubines), pendant une demi-heure pour ceux à base de thé vert (Thé du Hammam, Thé des Alizés, Thé des Sables). Mettre ensuite au frais.

Les Théophiles® sont les clients privilégiés du Palais des Thés. En devenant Théophile®, vous pouvez profiter de multiples avantages, aussi bien dans nos boutiques que sur Internet et par correspondance.

Vous bénéficiez également de conditions préférentielles à L'Ecole du Thé. Enfin vous êtes régulièrement informé sur un sujet qui vous tient à cœur : le thé, avec notre lettre d'information.

VOTRE CARTE DE FIDÉLITÉ

A chacune de vos visites au Palais des Thés, pensez à faire tamponner votre carte de fidélité. A chaque commande par correspondance ou sur Internet, Le Palais des Thés se charge de le faire pour vous. Après 80 € d'achat de thé en vrac en un an, vous devenez Théophile®.

VOTRE CARTE DE THÉOPHILE®

Votre carte de Théophile® vous donne droit à une remise de 10% sur tous nos produits (excepté sur les livres : remise légale de 5%) pendant un an, dans toutes les boutiques Le Palais des Thés, ainsi que sur Internet et par correspondance. Vous recevez par ailleurs notre journal « Bruits de Palais », qui paraît cinq fois par an et grâce auquel vous pouvez découvrir, en avant-première, de nouveaux thés, être informé sur l'actualité de cette boisson (recherche médicale, culture...), et bénéficier des nombreuses offres avantageuses. Votre Carte de Théophile® vous permet également de profiter d'un tarif préférentiel et d'un accès prioritaire aux conférences de L'Ecole du Thé.

Reconnu pour son expertise dans le domaine du thé, Le Palais des Thés a souhaité partager son savoir, sa passion et ses expériences sur le thé en créant L'Ecole du Thé en 1999.

Avec L'Ecole du Thé, Le Palais des Thés vous invite à découvrir le thé autrement, à travers des séances de dégustation, des cours d'initiation, des conférences thématiques...

L'Ecole du Thé s'adresse à toutes celles et ceux d'entre vous qui souhaitent en savoir plus et cultiver leur passion pour le thé, par de nouvelles connaissances et de nouvelles expériences.

Chaque trimestre, nous vous proposons une large variété de cours à travers trois séries de formations : « Découvertes », « Connaissances » et « Evasions ».

Découvertes

Tout ce que vous avez toujours voulu savoir sur les Darjeeling, les Orange Pekoe, les thés Earl Grey, les Lapsang Souchong...

Les « Découvertes » sont des séances d'initiation sur un sujet ciblé. Chaque séance est construite autour d'une dégustation de 5 à 6 thés illustrant le thème abordé, et laisse une place importante à vos questions.

Chaque « Découverte » dure 45 minutes et est animée par un spécialiste du Palais des Thés.

Connaissances

Cette série est destinée à ceux d'entre vous qui souhaitent approfondir leurs connaissances sur le thé et son univers.

De grands thèmes comme « Les Origines du Thé », « L'Art de la Dégustation », « Les Thés du Japon »... sont développés par un spécialiste du Palais des Thés, en une ou plusieurs séances d'une heure trente.

Chacune d'entre elles se déroule en deux temps : 45 minutes de conférence suivies de 45 minutes de dégustation.

Evasions

L'Ecole du Thé vous emmène à la rencontre d'autres passionnés de thé. La série « Evasions » vous propose des conférences-dégustations animées par un intervenant extérieur, expert dans son domaine, invité par Le Palais des Thés. Vous pouvez ainsi participer à des cérémonies de thé, telles qu'elles sont toujours pratiquées dans leur pays d'origine ; vous pouvez vous initier à la dégustation polysensorielle ou encore recevoir les conseils et les recettes de grands cuisiniers qui travaillent avec du thé...

Parcours thématiques

Pour celles et ceux qui n'ont pas la possibilité de suivre régulièrement les formations du Palais des Thés, L'Ecole du Thé propose des « Parcours thématiques » à vivre de façon intensive le temps d'une journée ou d'un week-end. Ces parcours abordent les différents aspects d'une même thématique, en rassemblant des cours issus des trois séries précédentes.

Carnet de 10 tickets de L'Ecole du Thé
Réf. Y910

Offrez les cultures du monde!

L'Ecole du Thé propose un système de paiement par tickets-formation, simple et avantageux. Ces tickets, vendus par carnet de dix, sont valables un an, pour une ou plusieurs personnes.

Pratique et économique, ce carnet peut être une idée de cadeau originale.

Pour connaître les contenus, dates, lieux et tarifs des différentes formations, consultez notre programme trimestriel. Vous pouvez nous contacter à :

L'Ecole du Thé,
64 rue Vieille-du-Temple,
75003 Paris
Tél. : (33) 01 43 56 96 38
Fax : (33) 01 43 56 92 00
E-mail : ecole@palaisdesthes.com

Les boutiques Le Palais des Thés

Dans les boutiques Le Palais des Thés, retrouvez l'ensemble des thés présentés dans ce guide, ainsi qu'une large sélection d'objets, d'accessoires et de gourmandises, originaires des pays où offrir le thé est une coutume.

Passionnée et convaincue, notre équipe de vendeurs spécialisés vous accueille avec une tasse de thé et est à votre disposition pour répondre à toutes vos questions, vous donner des conseils de dégustation et vous transmettre un peu de ce savoir que nous récoltons en voyageant dans les plantations du monde entier.

Laissant une grande liberté à chacun, l'aménagement des boutiques vous invite à découvrir le thé à votre rythme, en vous permettant de sentir et de goûter un grand nombre de thés par vous-même à l'aide de testeurs olfactifs, ainsi qu'en mettant à votre disposition de nombreuses informations sur leurs origines, leurs modes de préparation et leurs rituels.